いちばんわかりやすい 日本神話

小野寺優

Yu Onodera

実業之日本社

――はじめに――

日本に住んでいても、意外と知らない日本神話。あなたは「日本神話」といったら、どんな物語を思い浮かべますか？　黄泉(よみ)の国、天岩屋戸(あめのいわやど)、八岐大蛇(やまたのおろち)、因幡(いなば)の白兎(しろうさぎ)……詳しい方であれば天地開闢(てんちかいびゃく)、天孫降臨(てんそんこうりん)、山幸彦(やまさちひこ)と海幸彦(うみさちひこ)などの神話も出てくるかもしれません。

これらの神話は、全て『古事記(こじき)』の上巻に収録されている物語です。イザナギとイザナミが日本の国土を産むところからはじまり、娘のアマテラスが岩屋戸に隠れ、弟のスサノオが八岐大蛇を退治し、子孫のオオナムチが因幡で白兎を助ける……と、このように繋がったストーリーになっているので、『古事記』を通して読んでみると、個々で神話を読むのとは違った魅力に出会えます。

しかし、日本の神話が描かれているのは『古事記』のみに限りません。例えば、『古事記』と同時期に作られた歴史書の『日本書紀(にほんしょき)』。ここにも同じような神話が残っています。『古事記』と『日本書紀』に描かれた神話のことを、合わせて「記紀神話(ききしんわ)」と呼びますが、面白いことに同時期に描かれた書物にもかかわらず内容が微妙に、もしくは全く違っているのです。

このことから、記紀が編纂(へんさん)された1300年以上前の、飛鳥・奈良時代の人たちにとっても、日本神話は昔のことすぎて、何が本当なのか「よくわからなかった」ということがわかります。どこか現代の私たちと似ていますね。そのため『日本書紀』には、「一書（あるふみ）」という本編とは別の説がたくさん追記されており、同じ神様の違った魅力を一冊で味わうことができるようになっています。世界の歴史書と比較すると、別説の記述があることは珍しく、長い歴史を持つ日本ならではの特色といえるでしょう。

　また他にも、各地の風土や伝承を集めた『風土記（ふどき）』や神社の由緒など、あらゆるところに日本神話は残っており、『古事記』、『風土記』、『日本書紀』が立て続けに編纂され、神社の整備が積極的に行われた飛鳥・奈良時代の人々が、少しでも多くの日本の伝承を残そうとしたことがうかがい知れます。

　このように当時の人々が丁寧に日本の神話を残してくれたおかげで、我々は１３００年以上経った今でも、神々の息吹（いぶき）を感じながら日本神話に触れることができるのです。編纂当時の言葉で読もうとすると小難しく思えるかもしれませんが、現代の言葉に訳せば、愛あり、憎しみあり、葛藤や勇気や笑いもある、活き活きとした八百万（やおよろず）の神々の物語。

　そんな神々が織りなす物語を、本書では『古事記』をベースに押さえておきたい情報をピックアップして、初心者の方でもわかりやすいようにまとめました。本書が深遠な日本神話の世界への、第一歩となりましたら幸いです。

２０２３年10月　小野寺優

いちばんわかりやすい 日本神話 目次

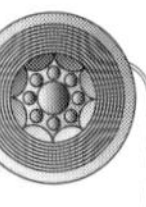

第2章
日本神話の神々
神世七代、三貴子、天津神、国津神……個性豊かな神様たち

日向三代

人世の神

神社が有名な神様

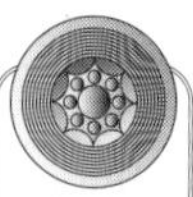

第4章 日本神話の文化

日本神話に登場する文字や
呪術、アイテム、動物たち

カバーデザイン／杉本欣右
編集協力／えいとえふ
カバー・本文イラスト／三村晴子
本文レイアウト／Lush!

序章

日本神話とは何か？

日本神話とは？　古くから愛され続けた日本の神々

古くから語り継がれる「八百万（やおよろず）」もの神々の物語

インターネットで「日本神話・本」と検索すると、『古事記』もしくは『日本書紀』の書籍が数多くヒットします。記紀を読んだことがない方でも「日本神話」と聞くと、この記紀神話を思い浮かべる方がほとんどではないでしょうか。

もちろん八岐大蛇や因幡の白兎といった有名な神話が書かれた記紀は、日本神話を語るうえで欠かせない大切な書物です。しかし、ここに書かれた神話はほんの一部であり、日本全国津々浦々（つつうらうら）に神々のお話は残っています。

『風土記』や『古語拾遺（こごしゅうい）』、『先代旧事本紀（せんだいくじほんぎ）』といった書物で残っている神話はもちろん、菅原道真（すがわらのみちざね）や徳川家康（とくがわいえやす）といった歴史上の人物が死後に神様として祀（まつ）られるようになった話、また、地元の言い伝えや神社の社伝（しゃでん）など全国各地で日本神話に触れることができます。その全てを知ることは、生涯を費やしたとしても難しいことでしょう。

しかしそこには、記紀に登場する神様と同じでも、違ったストーリーが残っていたり、

日本神話 豆知識　八百万もいる日本の神々を数えるときの単位は「柱」。一柱、二柱と数える。これは「神々が木に宿ると考えられていたからではないか」といわれている。漫画『鬼滅の刃』の「柱」もおそらくここからだろう。

三重県伊勢市にある夫婦岩。

歴史上の人物の教科書には載っていない意外な一面が見えたり、地元独自の神話が伝わっていたりなど、まさに八百万の神話が語り継がれているのです。

この日本神話の魅力を一度知ってしまうと深く深く引き込まれ、抜け出すことができなくなってしまいます。まさに「沼」といえるでしょう。

「日本には八百万の神々が住む」といわれるように、たくさんの神様がいらっしゃいます。八百万とは「たくさん」という意味なので正確な数はわかりませんが、毎年10月の神無月（かんなづき）（出雲（いずも）では神在月（かみありづき））に日本全国の神様が集まる出雲では、「人間よりも神様の方が多い」と揶揄（やゆ）されるほどですので、その多さがうかがえます。昔から日本では、太陽、月、海、山、川などの大自然の中だけでなく、神棚や台所など生活の中にも神様がいると信じられてきました。科学の進歩で神様を忘れた現代でも、金メダリストや何かの技術に長けている人を「神」と呼びます。日本人のDNAに刻み込まれた無意識の信仰心を感じ取ることができるでしょう。他にも鏡や陶器や刀など、100年以上使った物には付喪神が宿るとされていたり、相撲がずば抜けて強ければ神が宿った横綱として腰にしめ縄がかけられたりするなど、日常生活の中に神様が溶け込んでいるのです。

歴史の一部だった日本神話

現代よりも神様がずっと身近だった頃の人々は、日本神話を「歴史の一部」として信じていました。今では理解しづらい感覚かもしれませんが、昔の人々は日本列島がユーラシア大陸の分裂によって成立したことを知りません。日本の島々は神様が産んだと信じていたのです。つまり、我々が「ご先祖様が存在したから自分も存在している」と認識しているのと同じような感覚で、昔の人は「神様が存在したから日本の島々も存在している」と考えていたのです。

そのため、仏教が日本に入ってきてからも昔ながらの日本神話が消えることはありませんでした。平安時代には、ちはやぶる神代の歌が歌われ、神仏習合を経て戦国の世では武

日本神話 豆知識 明治時代の神社合祀では、多くの寺院が廃された。元は19万3千社あった神社が、11万社まで減らされてしまったのだ。かつてはコンビニをはるかに凌駕する数の神社が日本全国に広がっていた。

滋賀県犬上郡多賀町多賀にある多賀大社。

神である八幡神（応神天皇）が広く信仰を集め、江戸時代にお伊勢参りが流行れば「お伊勢参らばお多賀へ参れ、お伊勢お多賀の子でござる」と、アマテラス（伊勢）とイザナギ（多賀）親子の歌が歌われて、時代を超えて日本の神々は愛され続けてきました。これだけ長い間、当たり前のように愛され続けてきた日本神話が現代では忘れかけられていることは悲しいことです。

また、コンビニエンスストアの数（約5万7千店　※2023年9月現在）よりも神社の数（推定8万8千社以上）の方が多いことからも、どれだけ神様や神話が我々の生活の中に溶け込んでいたのか、うかがい知ることができるでしょう。

神社は神様のお家（お社）なので「神様

がいて神話が伝わっている」ということは、考えてみれば当たり前のことなのですが、普段はあまり意識しないもの。小さな頃から存在して当然だった地元の神社に、ハッとするような神話が残っていることもあるので、ぜひ身近な神話を探しに訪れてみてください。

ちなみに八幡神社や稲荷神社など、各地に見られる同じ名前を持つ神社には、基本的に同じ神様が祀られています。日本の神様は御魂を分けることができるためです。このことから「同じ神様なら、神話はひとつなのでは？」と思われるかもしれませんが、土地ごとに神様が祀られた経緯が残っていたり、元の話とは違った伝承が残っていたりすることが多くあります。つまり、各地で同じ神様の違う話がどんどん増えてしまうのです。

どういうことか、童話として有名な「桃太郎」を例にして見てみましょう。

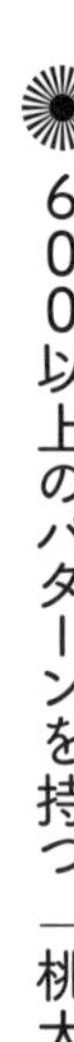

600以上のパターンを持つ「桃太郎」

今では、桃から生まれた桃太郎が鬼を退治するストーリーが一般的ですが、これは明治時代に教科書に載ったことで、統一されたイメージです。元々はいろいろな話が伝わっていました。例えば、川から手箱が流れてきたり、お供が犬・猿・雉ではなく、石臼・針・馬の糞・百足・蜂・蟹だったり、桃を食べたおじいさんとおばあさんが若返って子どもを授かったり、はたまた桃太郎が女の子だったり……。確認できるだけでも600以上のパ

日本神話伝承地

岡山県の吉備津神社には「鳴釜神事」という変わった神事がある。これは討伐された温羅が首だけ骨だけになっても埋めても、唸り声が収まらなかったのが、愛する妻の釜料理で収まったことが由来。

ターンがあるとか。言い伝えによって広がっていくうちに、他の話と混同されたり、面白おかしく変わったり、少しずつ変化したものが全国各地に伝わっていったのです。

桃太郎の童話の発祥自体は室町時代頃といわれていますが、この大本（おおもと）となった話としては、記紀にも名が残っている古墳時代の将軍、吉備津彦（きびつひこ）の神話が最も有名です。きび団子の「吉備」ですね。

吉備津彦には犬飼健命（いぬかいたけるのみこと）、楽々森彦命（ささもりひこのみこと）、留玉臣命（とめたまおみのみこと）という3人の家来と共に、温羅（うら）という名前の鬼を退治した神話が残っており、現在でも吉備津神社に神様として祀られています。これもひとつの立派な日本神話といえるでしょう。

このように元はひとつの神話でも、桃太郎のように言い伝えられていくうちに変化して、バリエーションがどんどん増えていってしまうのです。桃太郎ひとつ取っただけでも、これだけ話が残っているのですから、全国に広がった八百万の神々の神話がどれだけ多岐に渡り、収集がつかなくなっているかがわかると思います。

そしてこの現象は、記紀の編纂が行われた１３００年以上前の飛鳥・奈良時代においても、すでに起こっていました。日本の歴史の編纂を命じた天武（てんむ）天皇はこのように言ったとされます。

「諸々の家が所有している神話や歴史、系図には多くの虚偽（きょぎ）が加えられてしまったそうだ。

今のうちにこの誤りを改めなければ、幾年も経たずに真実は失われてしまうだろう」

ここからも各家々に伝わる神話に尾びれ背びれがついてしまっていたことが読み取れます。天武天皇以前の時代にも系図を精査した記録が残っているので、相当古い時代から手の施しようがない問題だったのでしょう。

しかしこれが、国が先導して神話・歴史をまとめるきっかけとなりました。

桃太郎も明治時代の教科書に掲載されたことで、我々のイメージが「どんぶらこ、どんぶらこ」に統一されたように、天武天皇は記紀によって神話のイメージを統一させようとしたのです。結局、『日本書紀』に多岐にわたる説が載り、『風土記』も各地の神話を集めたため、完全に統一することは叶いませんでしたが、記紀の成立によって「日本神話といえばこれ」というベースを、ようやく確立することができました。

桃太郎の元になったといわれる吉備津彦の温羅討伐や、浦島太郎の元になったといわれる浦嶋子の記述がある記紀は、まさに日本神話の根源です。中でも『古事記』は、『日本書紀』と違って別説が載っていないので、日本神話の入門に最適です。そこで、本書では『古事記』をベースに日本神話についての解説をしていきます。

また、記紀は同時期に成立したにもかかわらず、微妙に記述内容が異なります。まずは『古事記』の成立と『日本書紀』との違いについて見ていきましょう。

日本神話 豆知識

斎部広成の『古語拾遺』が面白い。当時権力が増していた中臣氏（藤原氏）に対抗する形で描かれ、中臣氏への愚痴も漏れている。内容は『古事記』と似ているが、独自の伝承もあり、興味深い。

「浦島太郎」の元ネタ！ 浦嶋子の神話

浦島太郎の元ネタとされる浦嶋子の神話は、『日本書紀』の「雄略記」や丹後国（たんごのくに）の『風土記』に残っている。浦嶋子は丹波国（たんばのくに）与謝郡（よさぐん）の筒川（つつかわ）に住んでいる高貴で風流なオーラを放つ、美青年だった。今では漁師のイメージが強いので、意外である。本名は、水江浦嶋子（みずのえの）。筒川嶋子とも呼ばれる。嶋子はある日、舟に乗って釣りをしていた。すると大きな五色の亀が釣れ、それがたちまち美しい女性となった。彼女は嶋子に微笑みかけて「素敵な男性がいるから、風雲に乗ってきたの。私、仙人が住む天上界から来たのよ？　お願いだから、愛して？　あなたと一緒に永遠の世界に身を置きたいの」と猛烈なアタックをかける。嶋子は「断る理由などない」と言って、蓬莱山（ほうらいさん）にある彼女の実家へ向かった。

彼女は亀比売という名前で、その家族も嶋子の訪問を喜び、豪華絢爛な宴でもてなした。いつの間にか、他の仙人たちは退席し、残ったのは亀比売と嶋子だけ。2人は肩を寄せ合い袖をつけ、ついに夫婦となった。そしてあっという間に3年の歳月が流れてしまう。故郷を恋しく思い、帰ることになった嶋子は、亀比売に「私にまた会いたいなら、この箱を絶対に開けないでください」と、玉匣（たまくしげ）を渡される。しかし、嶋子が故郷に帰ると300年もの年月が流れていた。悲しみの中、玉匣を開くと蘭のような芳しい中身は天空へ消えてしまい、嶋子はもう彼女の下へ戻れないことを悟ったそうだ。

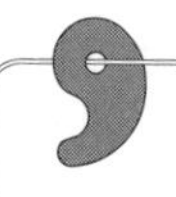

日本神話の原点『古事記』と『日本書紀』

『古事記』から全てがはじまった

日本に現存する最古の書物とされる『古事記』。そこには神々の時代からはじまる日本の歴史が描かれています。現代では2月11日が、初代・神武（じんむ）天皇の即位した「建国記念の日」として祝日となっていますが、日本の建国よりも前から日本は存在したので、日本の歴史は神々の時代からはじまります。建国よりも前から日本があったというのも不思議な話ですが、神々が信じられていた太古から、ずっと続いてきた国家ならではの珍しい特色といえるでしょう。

『古事記』の編纂（へんさん）を命じたのは元明（げんめい）天皇。女性の天皇です。全3巻で成り立ち、上巻は日本神話（天地開闢（かいびゃく）から初代・神武天皇になるカムヤマトイワレビコの誕生まで）、中巻は日本建国神話と天皇の時勢（神武天皇から応神天皇まで）、下巻は神話の時代よりずっと人間じみて、政治や恋物語など（仁徳（にんとく）天皇から推古（すいこ）天皇まで）が描かれています。

本書では上巻に書かれた日本神話部分をメインに取り上げます。中下巻にも神話は残っ

日本神話 豆知識　『古事記』が献上されたのが、元明天皇。『日本書紀』が献上されたのが、元明天皇の娘である元正（げんしょう）天皇。いずれも女性の天皇だ。この時代は皇位継承トラブルが続き、女性が天皇になることが多かった。

『古事記』成立までの流れ

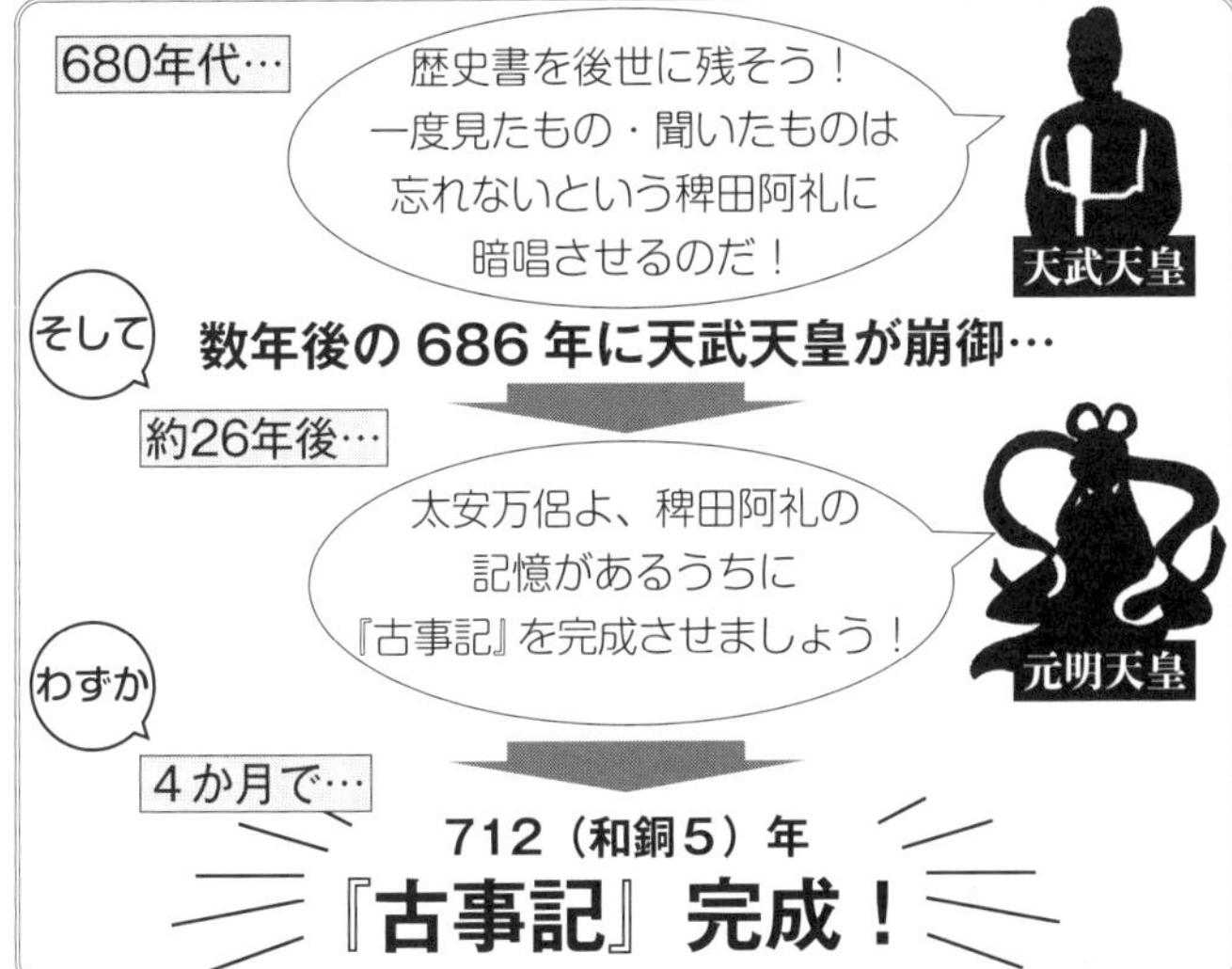

680年代…
歴史書を後世に残そう！
一度見たもの・聞いたものは
忘れないという稗田阿礼に
暗唱させるのだ！
天武天皇
そして
数年後の686年に天武天皇が崩御…
約26年後…
太安万侶よ、稗田阿礼の
記憶があるうちに
『古事記』を完成させましょう！
元明天皇
わずか
4か月で…
712（和銅5）年
『古事記』完成！

ていますが、ほんのわずかです。ファンタジー世界のような神話から、遺跡として発掘されるような史実に繋がっていく過程は、神様と人間の境が曖昧な日本らしい構成といえるでしょう。

『古事記』の成立までには様々な困難がありました。『古事記』の元になった神話と歴史は、天武天皇の時代に「一度見たもの・聞いたものは忘れない」という能力を持った舎人（皇族の雑用係）の稗田阿礼が、暗唱したものです。しかし、途中で天武天皇が崩御してしまい、『古事記』の完成は果たせませんでした。また、『古事記』の成立以前に聖徳太子らがまとめた日本の歴史書は、火災で焼失。帝紀や旧辞などの史料はあったものの、国が正式にまとめた史書はありませんでした。さらに、神話は昔から語り部の口伝によって伝えられており、文章にまとめることがためらわれました。しかも当時はひらがなもカタカナもなく、漢字で言葉の発音を表現するのも難しい時代。太安万侶が序文で「昔ながらの言葉を文字に起こすのは難しかった」とぼやいたほどです。これらの数々の障害を乗り越えて、『古事記』が成立したことは奇跡的な出来事でした。

天武天皇の崩御から約26年後、元明天皇は稗田阿礼の記憶が失われるのはもったいないと考え、文官の太安万侶に命じてその内容を書き起こさせました。これが和銅5年1月28日（西暦712年3月9日）に献上された『古事記』です。現在残るものは写本で、1370年代に真福寺の僧・賢瑜によって写された伊勢本系統（真福寺本）と、1500年頃に卜部兼永が写した卜部本系統の2種類があります。面白いことにひとつは神職ではなく、お寺の僧侶が書いたもので、神仏習合の余香を感じることができます。

『古事記』は語り部である稗田阿礼の語った内容を書き起こしたため、「和化漢文（変体漢文）」という、ひらがなのように漢字で音を表現したものと漢文が組み合わせて使われました。和歌で用いる和化漢文と、公式文章で使う漢文を組み合わせて記述されたのです。現在の漢字とひらがなを組み合わせた文章の原型といえるでしょう。『古事記』は一見、漢文に見えますが、日本語を理解できる人にしか読めないように書かれているので、国内

日本神話 豆知識

“八雲立つ 出雲八重垣 妻籠みに 八重垣作る その八重垣を”とは「雲がもくもく沸き立つ。家の妻を囲む八重垣を作ろう、八重垣を」という意味の歌だ。妻を娶ったスサノオの喜びが伝わってくる。

スサノオが和歌を詠んだ出雲国に建つ出雲大社の御本殿・拝殿。

向けに制作されたと考えられます。また、全3巻の中には112首もの和歌が詠まれており、ミュージカル映画さながらの情緒を感じることができます。特にスサノオが詠んだ「八雲立つ」の和歌は、日本最古の歌として有名です。

制作期間は、わずか4か月。元明天皇が編纂を命じたのは和銅4年9月で、献上は翌5年1月です。非常にハイペースな作業でした。序文には「稗田阿礼が詠んだ内容を書き写した」とあることから、太安万侶は稗田阿礼の言葉を書き起こすことに専念し、物語の構成や複数の説の選定は行わなかったのでしょう。だとしても、4か月であの情報量を書き上げたことは、驚異的なスピードといえます。

『古事記』と『日本書紀』の違い

次に、『古事記』と『日本書紀』の違いを見ていきましょう。『日本書紀』は養老4年（720年）5月に、元明天皇の娘である元正天皇に献上されました。『古事記』の完成からたった8年後です。しかし、『日本書紀』は全30巻で構成され、情報量は『古事記』の比ではありません。国内の認識を統一し、国外に発信するために編纂された日本の正史ですが、特徴的な点は、「一書」という別の説が載せられていることです。

『古事記』はひとつの説をまとめたものでしたが、『日本書紀』は「通説はこれだけど、他の本にはこう記載されている」というスタイルを取っており、世界の史書と比べても珍しい構成になっています。中には10以上の一書が連なる場面もあり、編纂者たちがより多くの情報を残そうとしたことがうかがえます。卑弥呼の記述で有名な、3世紀の中国の歴史書『魏志倭人伝』からの引用も含まれており、国内の資料だけでなく、多岐にわたる膨大な史料を元に描かれたことがわかるでしょう。

『古事記』と『日本書紀』は、書かれ方にも違いがあります。『古事記』はひと繋がりの物語のように描かれていますが、『日本書紀』は出来事が年月順に並んだ編年体で書かれています。年表でまとめられた教科書のようなイメージです。これは、『古事記』が昔な

日本神話ギモンと考察 『日本書紀』に、朝鮮を制圧した神功皇后が卑弥呼ではないかと匂わす記述がある。なお、『魏志倭人伝』とは書物の正式名称ではなく、『魏書』の「烏丸鮮卑東夷伝」の「倭人」の項目の略称である。

『古事記』と『日本書紀』の違い

『古事記』		『日本書紀』
712年（元明天皇の時代）	成立年	720年（元正天皇の時代）
4か月	編纂期間	不明（最大39年）
3巻	巻数	30巻＋系図1巻
稗田阿礼が暗唱し、太安万侶が書き記す	編纂者	舎人親王をはじめとした皇族や有力氏族が手掛ける
ひと繋がりの物語のように描く	形式	年月順に並んだ編年体で描く
和化漢文（日本語の音を漢字で表記する方法）	文字	漢文
神話の時代の話が多い	内容	天皇の御代の話が多い
不明 『日本書紀』のサブテキストとして使われた	目的	海外にも提出する日本の正史

がらの語り部によって語り継がれたものだったのに対し、『日本書紀』は唐（とう）にも提出する正史だったため、中国の歴史書、つまり当時のグローバルスタンダードにならったためです。

編纂を任されたのは、舎人親王（とねりしんのう）をはじめとした皇族や有力氏族。他にも天武天皇の時代の詔（みことのり）では川島皇子（かわしまのみこ）、忍壁皇子（おさかべのみこ）をはじめとした皇族や多くの氏族代表が編纂を任された記録が残っています。日本の正史の編纂ですので、大がかりな事業だったのです。「正五位（しょうごい）」という、中の上ほどの官位だった太安万侶が綴（つづ）った『古事記』とは、格差があります。

『日本書紀』の成立後には、定期的に国史の勉強会が行われたのですが、その際も教科書として使われたのは『日本書紀』の方で、『古事記』はサブテキストという位置づけでした。

当時は仏教や儒教が広まり、「昔ながらの神道的な考え方は古い」という価値観が広まっていました。その中で元明天皇は、語り部による伝承を守ることに力を入れました。彼女は各地の伝承や風土を集めた『風土記』の編纂も命じており、より多くの記録を残すことに尽力しています。天武天皇が稗田阿礼に全てを記憶させ、元明天皇が稗田阿礼の生きている間に『古事記』の編纂を再開できたため、今でも昔ながらの言い伝えによる素朴な日本神話を知ることができるのです。どちらかが欠けても『古事記』は完成しなかったでしょう。

こうして天皇の命により綴られた権威ある史書。さぞかし威厳(いげん)に満ちた神々が描かれていることだろうと想像してしまいます。しかし、日本の神々は自由奔放そのもの。最高神の女神様は天岩屋戸に引き籠ってしまうし、八岐大蛇を倒した伝説の神様は神聖な神殿で脱糞してしまうし、国造りの重要な神様はプレイボーイだし……。現代では教科書には載せられないようなお話ばかり。天皇が「国の公式」として、こんな神話を残してしまって本当によかったのか、心配になってしまうほどです。それでは難しい歴史背景はここまでにして、早速、個性豊かな神々の特徴を見ていきましょう。

日本神話 豆知識

奈良時代の暗躍者として描かれがちな藤原不比等(ふじわらのふひと)だが、「織姫の車飾りが風に舞う。2人は束の間の逢瀬を楽しむが、再び長い嘆きに閉ざされる」という七夕の歌を残す。意外とロマンチストである。

同時期に史書を出しすぎたのは藤原不比等の陰謀説

古代日本の歴史書である『古事記』『日本書紀』『風土記』。これらの重要な史書は、いずれも近い時代に編纂された。『古事記』は712年、『日本書紀』は720年に成立し、『風土記』編纂の詔は713年に出されている。『風土記』には神話や歴史以外にも風土や郷土品などの記述があるものの、似通った史書を一気に作りすぎである。

しかしその内容や目的には興味深い違いがある。特に『古事記』と『日本書紀』の違いからは、関係者の思想の違いを感じずにはいられない。まず歴史の編纂を命じた天武天皇は、序文からも読み取れるよう「情報を統一すること」に重点を置いていた。そのため、ひとつのストーリーに集約された『古事記』の思想に近かったと考えられる。一方、天武天皇の死後に記紀の編纂を再開させた元明天皇は、各地に『風土記』の編纂を命じており、「より多くの情報を後世に伝える」ことに注力していた。この思想の違いが、両書の記述内容に違いを生んだのではないだろうか。

しかし、古代の歴史は常にひとつの視点で語れない。実際には川島皇子や舎人親王なども含め世代を超えた多くの人々が関与し、異なる思想を持ってこれらの史書を完成させている。史書の成り立ちを理解することは非常に困難なのだ。時折、歴史マニアの間で流れる「全部、藤原不比等の陰謀」というジョークは、この複雑な背景を無視して、全て不比等のせいにしたいという切実な想いが込められている。

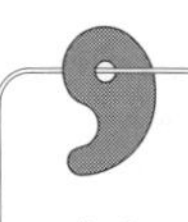

日本の神様の特徴　理解が深まる5つのタイプ

日本の神様を知るために押さえておきたいポイント

日本の神様は、おおまかに分けて5つのタイプがあります。「自然」「事」「物」「土地」「人」が神格化した神様です。それぞれ詳しく解説していきましょう。

タイプ1　自然

太陽の神・アマテラス、月の神・ツクヨミなどをはじめ、海神・オオワタツミ、山神・オオヤマツミなど有名な神様が多くいます。木、岩、花などはもちろん、春・秋といった季節の神様もいます。古代の素朴な自然崇拝からはじまった、昔ながらの神様といえるでしょう。

自然にまつわる神様のほとんどが日本神話の前半に出てくるところからも、古くから信仰されてきた神々であることがわかります。

日本神話ギモンと考察　神社ができたのは、仏教が入ってきてから!? 日本の神々の多くは岩や山などの自然崇拝だったので、小さな祠(ほこら)や祭祀場(さいしじょう)はあっても現在のような神社が全国に普及したのは、寺の開山(かいさん)が進んでからである。

５タイプに分かれる日本の神様

自然
アマテラス、
ツクヨミ、
オオワタツミ、
オオヤマツミなど

人
菅原道真、
応神天皇、
徳川家康など

事
スサノオ、
アヤカシコネ、
オオコトオシオ
など

神様には
５つの
タイプが
ある

物
天之尾羽張、
御倉板挙之神、
布都御魂など

土地
イザナギと
イザナミが産んだ
日本の島々や土地

タイプ2　事

「なんて尊いことなの！」という意味のアヤカシコネ、「大きなことを成し遂げた！」という意味の、大事忍男神（おおことおしおのかみ）など。セリフのような感情がそのまま神格化した神様や、杭を挿す・戸を建てるといった建築の神、火が燃える火の神、農作の神、芸能の神など、行動・技術を表す神様がこちらに分類できます。

有名なスサノオも「勢いのある荒ぶる男」という意味なので、物事の性質がそのまま神格化した神様です。

タイプ3　物

剣、宝、ひれなどの人工物が神格化した

神様です。付喪神という言葉がある通り、昔から物にも神様が宿ると信じられてきました。例えば、イザナギの剣が神格化した天之尾羽張(あめのおはばり)、アマテラスのネックレスが神格化した御倉板挙之神(みくらたなのかみ)、タケミカヅチの剣が神格化した布都御魂(ふつのみたま)などです。また、新羅国(しらぎのくに)の皇子・アメノヒボコが日本に持ってきた神宝が神格化した伊豆志之八前大神(いづしのやまえおおかみ)には、娘がいたという話が残っており、物が神格化した神様も人の形に成ると考えられていたのでしょう。

タイプ4　土地

日本の国土はイザナギとイザナミが産んだとされています。そのため、日本の島々や土地には神様の名前がついているのです。例えば「愛媛県」は、イザナミが産んだ「愛比売(えひめ)」から県名がつけられました。「可愛い愛おしいお姫様」という意味と、「お姉さん神」という意味があるので、愛媛は女の子なのですね。

他にもその土地の名前がついた神様が祀られている神社は多くあります。奈良県宇賀志(うかし)にある宇賀(うが)神社には宇迦斯神魂(うかしのみたま)という神様が祀られているのですが、神武東征(じんむとうせい)の神話でこの土地を治めていた兄宇迦斯(えうかし)ではないかといわれており、昔その土地を治めていた実際の人物が死後に土地の神様として祀られたケースもあります。

日本神話豆知識　イヅシ大神の娘、イヅシ乙女を奪い合う秋山・春山兄弟の神話がある。兄の秋山が「もし春山が乙女を落としたら、俺は裸になって、人が入る甕の量の酒をやるよ！」と言って、負けた。

タイプ5 人

実際の人物が神格化した例として最も有名なのは菅原道真でしょう。天神様として、毎年多くの受験生から頼りにされています。他にも八幡宮に祀られている応神天皇や、東照宮に祀られている徳川家康なども有名ですね。また国学が盛んになった幕末明治以降に、人物神格化ブームのようなものがあったため、織田信長、武田信玄、上杉謙信、伊達政宗、真田幸村といった今も人気の高い戦国武将や、坂本龍馬や高杉晋作、吉田松陰など、幕末に活躍した歴史上の人物も多く神社に祀られています。

単純にタイプ分けできない、仏になった神様!?

以上がおおまかな分類となりますが、長い歴史の中で神々の役割も変わっていきますので、ここで神仏習合における神々のあり方についても、軽く触れておきましょう。

まず神仏習合には、おおよそ3つの段階があります。第1段階は8世紀初期にはじまりました。ちょうど記紀の編纂をしていた頃です。7世紀後半の人物である天武天皇は、仏のことを「海外の神様」と説明していたことが薬師寺に伝わっており、古くから神仏の境が曖昧であったことがわかります。

そもそも「仏」とは、仏教の教えにもとづいて悟りを開いた人や、境地を指す言葉です。仏教では、人々が迷いや苦しみから解放され、真理を理解し、自己の本質を見つけることを「悟り」といい、苦しみから解放され自由な心境に至ることを「解脱」といいます。

ここから、日本人の僧侶は「神々も輪廻の苦しみから逃れるために神前での読経を行うべき」と考えました。その結果、苦しんでいる神々を救おうと、神宮寺や神願寺などの寺が建てられ、神々の解脱を助けるための活動が行われたのです。

この中に面白いエピソードが残っています。多度神宮寺伽藍縁起資財帳に、満願禅師という僧侶が多度神社に阿弥陀仏像を建てたことが描かれているのですが、この時、多度神自身が「前世の罪によって神となったので、苦しみから逃れるために仏教に帰依したい」という神託を与えたというのです。日本の神が海外の宗教である仏教の教えに共鳴し解脱を求めたとは、世界でも例を見ない日本らしい話ではないでしょうか。

続いて8世紀頃からは神々もまた仏法を守る存在として崇拝され、神仏習合がより深化していきます。8世紀末には「本地垂迹」という考え方が登場し、神を仏の仮の姿とみなす理念が広まりました。このように徐々に独自の宗教観が形成されました。日本の神々は時代ごとの価値観に合わせて柔軟に変化し、進化してきた存在なのです。

日本神話 豆知識　八百万とは、日本神話において無数の数を表す言葉。「8」には「たくさん」という意味があり、「八十神」であれば、80人程度の大勢の神々、「八咫鏡」であれば「大きな鏡」という意味になる。

多すぎる !! 日本に住む八百万の神々

とにもかくにも日本の神は数が多い。ひと昔前は「日本は神の国」と発言しただけで、戦前教育だと大炎上した時代もあったが、実際のところ日本は神様まみれの国である。

これほどまでに数が多くなってしまった理由は、自然信仰と先祖崇拝の相性が良く、違和感なく混ざってしまったためだろう。先述の通り、人が死後に神として祀られる例は多い。

「卑弥呼が後世アマテラスとして祀られたのでは」という説は昔からあるが、事実はさておき「日巫女（ひのみこ）」の役割をした実際の人物が、死後に太陽神として祀られるようになったことは十分にありうる。太陽神アマテラスは皇祖神（こうそしん）でもあり、自然信仰と先祖崇拝が最も美しく混ざった例ではないだろうか。そして神話の時代にアマテラスに仕えていた神々の子孫も皇室に仕えていた。そのため、臣下の多くが神の末裔となる。となれば、後から皇族に仕えるようになった家系の人間も「自分の先祖も実は神で……」という流れで、神様の数がどんどん増えていったことは、容易に想像がつく。

古代において家系は、現代の比ではないほど大切だった。このため『古事記』では系譜が重要視され、「この神の末裔はこの氏（うじ）」という説明が多く残っている。こうして自然現象の数とご先祖様の数が合わさり、八百万の神々の住む日本が形成されていったのだろう。

Column 日本神話とエンタテインメント

日本神話をモチーフにした主なエンタテインメント

日本神話に魅了された人々が、漫画やアニメ、ゲームなど様々な作品に取り入れ、神話を現代に蘇らせている。

種類	タイトル	内容
漫画・アニメ	鬼滅の刃	神々を数える単位である「柱」、導きの八咫烏を連想させる「鎹鴉(かすがいがらす)」、生命の神様イザナギを連想させる「産屋敷」、そして「日の神様」など、日本神話に関する多くのモチーフがちりばめられている。
	NARUTO -ナルト-	アマテラス、ツクヨミ、スサノオ、イザナギ、イザナミなど、日本の神様の名前が技の名前になっている。また、登場人物にも大蛇丸やクシナといった、日本神話をモチーフにした名前が含まれている。
	鬼灯の冷徹	閻魔大王の第一補佐官である鬼灯が、日本や世界の神話・伝説の登場人物たちと交流する日常が描かれている。特に古事記をモチーフにした話が多く、元ネタを知っているとより深く楽しむことができる。
	ノラガミ	社を持たない「野良神」夜トが、彼や周囲の人々、神々の問題を解決していく和風バトル漫画。天神、大黒、天照大神などおなじみの神様が登場する。高天原、神議、眷属など日本神話の世界観が現代社会をベースに描かれている。
	結城友奈は勇者である	讃州中学校に通う中学 2 年生、結城友奈が「勇者部」で様々な活動に励み、事件に巻き込まれていく。古事記をベースに日本神話や神道のモチーフが多く取り入れられ、祝詞の詠唱シーンなども含まれる。
ゲーム	大神	プレイヤーは「アマテラス」を操作し、水墨画のような筆のタッチを生かした美しい日本画風の 3DCG の中で冒険を繰り広げる。「大神」には、「天照大神」と「狼」の二つの意味が込められている。
	真・女神転生シリーズ	日本神話だけでなく、世界各地の神話や伝説の存在もゲームに取り入れられている。「女神転生」の名前の由来にイザナミとの関りがあり、重要な位置づけとされている。オモイカネは脳みそ。
	ペルソナ 4	女神転生シリーズ。もう一人の自分であるペルソナを召喚して戦うゲーム。イザナギ、スサノオ、アマテラスなどおなじみの神々がペルソナとして登場する。主人公は八十神高校に通う。
映画	すずめの戸締まり	主人公の「すずめ」という名前はアメノウズメから取られた。物語のキーパーソンである宗像草太も宗像神社、草薙の剣から名前が取られている。作中では祝詞があげられたり、要石などの要素が出てくる。
	君の名は。	主人公である三葉の名前の由来が、ミツハノメという水の神様。龍神ともされており、もう一人の主人公である瀧の名前も連想される。直接的な表現は少ないが土着の神を祀るシーンがある。
	千と千尋の神隠し	ハクの本名である「ニギハヤミコハクヌシ」の由来が、記紀に登場する「ニギハヤヒ」とされる。また、千尋の両親が異世界の食べ物を食べたことで、豚になってしまったことは黄泉の儀式、ヨモツヘグイを連想させる。
ライトノベル・小説	神様の御用人	主人公の良彦が、ある日狐神から「御用人」を命じられ、神様たちの御用を聞いて回ることになる。一言主大神、大年神、泣沢女神など、記紀の中でもマイナーな神様も登場し、マニアにはたまらない。
	勾玉シリーズ	空色勾玉、白鳥異伝、薄紅天女からなる三部作。日本神話をベースにした、和風ファンタジー作品。イザナギとイザナミの別離で分かたれた世界を「輝の一族」「闇の一族」とし、物語が進んでいく。

日本神話 豆知識

元明天皇は、和同開珎の鋳造を命じたことでも有名な天皇。銭貨を広めるための様々な施策を試みており、銭貨の数によって官位を与えたり、旅をする時も重い荷物を持たず銭貨を持つよう推奨した。

第1章

日本神話の世界観

八百万の神々による壮大なる物語

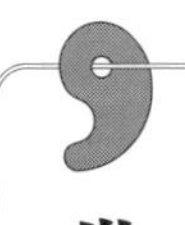

世界の成り立ち　日本神話の世界観を構成するもの

日本の神々による始まりの物語

世界の起源

――『古事記』に記された起源神話――

「天地（あめつち）はじめて発（ひら）けし時」

これは『古事記』冒頭の一文で、天地が分かれて世界がはじまった瞬間を表しています。しかしこの他には、「世界」のはじまりについての情報が見当たりません。「天地初発」という四文字の記述だけなのです。

一方、『旧約聖書』の「創世記」においては、「天地創造」こそが冒頭最大の見せ場といえるでしょう。唯一の「神」が、1日目に天地と昼夜を創り、2日目に空、3日目に大地と海と植物、4日目に太陽と月と星、5日目に魚と鳥、6日目に獣と家畜、そして「神」に似せた人を創ります。全て作り終えた「神」は、7日目に休息しました。このように、

日本神話 豆知識

『聖書』の創世記で「人間」は神の形に似せて作られたとあるが、日本神話には人の創造の記述がなく、自然に発生している。人が青人草（あおひとぐさ）と呼ばれることから、草のように生えてきたか、神の子孫とされる。

「世界」のはじまりがダイナミックかつエレガントに描かれているのです。たった4文字で天地開闢が終わってしまった『古事記』とは、大きく異なります。しかし、『古事記』の序文と『日本書紀』には世界のはじまりについて、もう少し詳しい情報が残っています。序文も『日本書紀』も、奈良時代の人々が書いたものなので、古代よりも世界のはじまりのイメージが具体的になっていたのでしょう。

まず、『古事記』の序文では「世界の根源となるものはすでに固まりかけていましたが、気配や現象と呼べるようなものは未だに現れていませんでした。それに名前や象形といったものはなく、誰もその形を知る者はおりません」と説明されています。本文と比べれば情報が増えたものの、まだ漠然としています。「形は誰もわからない」と、無理に説明を加えていないところが特徴的です。

――『日本書紀』に記された起源神話――

一方、『日本書紀』はより具体的で「この根源は鶏の卵のようで、清く明るいものが天に、濁って重いものが地になりました」と書かれています。「地が沈殿によって固まっていく」という表現は、「粒子が集まり微惑星が凝り固まって地球ができた」という科学的に有力なプロセスと似通っており、なぜこの表現になったのか思索を巡らせずにはいられません。また「卵」の表現については、中国の創世神話にも記述があります。中国では、卵の中から「盤古（ばんこ）」という創世神が誕生し、天地開闢がはじまり世界が形成されました。『日本書紀』の記述は「卵」という共通のワードを含みつつも、盤古や旧約聖書の神といった象徴的な創世神は出現しません。

「卵のよう」と表現された世界は、地球のように引力によって黄身に引き寄せられて天地が分かれたのか、ただ黄身と白身が上下に分かれただけなのか、当時の認識が非常に気になるところですが、今となっては知る術がありません。

このように、日本神話の天地開闢は底知れぬ深みを帯びているものの、神による壮大な創世のシーンは存在せず、天地が分かれるのみで非常にシンプルです。世界の創造において、重要なのはその後に成る（生まれる）数多くの神々となります。

――天地開闢後に生まれた「独神」――

まず、『古事記』において最初に成る神様はアメノミナカヌシです。まだ性別という概念が生まれる前の神様で、そのような神様のことを「独神（ひとりがみ）」といいます。名前は「天の」「尊い」「中心の」「主となる」「神」という構成になっており、まさに最初に誕生した神様として相応（ふさわ）しい名前といえるでしょう。現代では「宇宙の神」として、一部から厚い信仰を集めています。

しかしその名を知る方は、ほとんどいないのではないでしょうか。というのもアメノミ

日本神話 豆知識　中国神話の盤古の初出は３世紀。紀元前に成立した歴史書『史記』を持つ中国では、創世神よりも先に「三皇五帝」と呼ばれる理想の皇帝が信仰の対象とされていた。神より皇帝なのは中国らしい。

ナカヌシは、成るとすぐに姿を隠してしまった謎めく神様なのです。さらに『日本書紀』の本文には記述すらなく、「一書（あるふみ）」という別説集の4つ目でようやくその名前が登場します。江戸時代に至るまで、古代の史料といえば『古事記』ではなく『日本書紀』でしたので、歴史的に見ても認知度が低かったといえるでしょう。この神を主祭神として祀る神社の多くは、神仏習合の折に妙見菩薩（みょうけんぼさつ）として祀られたことが起源となっています。

次に成るのはタカミムスヒとカムムスヒという「生命の神」であり、それに続いて「芽吹きの神」「天上界の神」「地上界の神」「雲の神」が成りました。ここまでの神々が、性別という概念が存在しなかった時代の独神で、世界の成長の過程が読み取れます。

――男女ペアの夫婦神の登場――

その後はじめて、男女ペアの夫婦神が成り、性別の概念が登場します。それぞれ男女のペアで、「泥土の神」「杭（雄）の神」「戸（雌）の神」「形の完成の神」の意味の名前を持つ神々が生まれました。旧約聖書では「神」が世界の全てを一気に創造しますが、日本神話では自然の成長と共に神々が生まれていくのです。神々が世界を創造するのではなく、世界の形成と共に、それを司る神々が生まれていくイメージです。

宇宙から命が生まれ、植物が芽吹き、天地に境界が生まれ雲が湧き、地上が固まり男女の概念が生まれていく過程は、科学が進歩した現代でも納得しやすい内容です。科学の知識を全く持ちえなかった古代の日本人が、肌で感じて具現化した神話の構成には、畏怖の念を抱かずにはいられません。

以上のように日本の創世神話は非常に奥深く、区切りをつけることが難しくなっています。冒頭の4文字で終わっているともいえますし、神々が連続して生まれ、世界や自然が成長していく姿までとも、イザナギとイザナミの国生み・神生みまでも創世神話と呼べます。そしてこの後も世界が少しずつ進化していく様子が描かれていくので、極論をいってしまえば「現代もなお世界の創世神話は続いている」ともいえるのです。こう考えると、世界の神話と比較して、日本の創世神話の冒頭がシンプルな理由も納得できるのではないでしょうか。

地上界と地下世界の成立

――イザナギとイザナミ――

世界の基盤が整うと、「誘う神(いざな)」であるイザナギとイザナミが誕生しました。日本の国土は、イザナギとイザナミの夫婦神によって創造されます。この時、すでに天と地は分かれており、天には「**高天原**(たかまがはら)」という天上界が、地上には「**葦原の中つ国**(あしはら)」という地上界がありました。「葦」とは、水辺に生息するイネ科の植物のヨシを指します。しかし、地上

日本神話 ギモンと考察

泥、杭、戸の神は家の完成を表し、形の神は人の形の完成を表すという説がある。人の形が完成する前に、住む家が完成し、人々を安全に迎え入れる準備ができていたと考えると面白い。

日本神話の世界

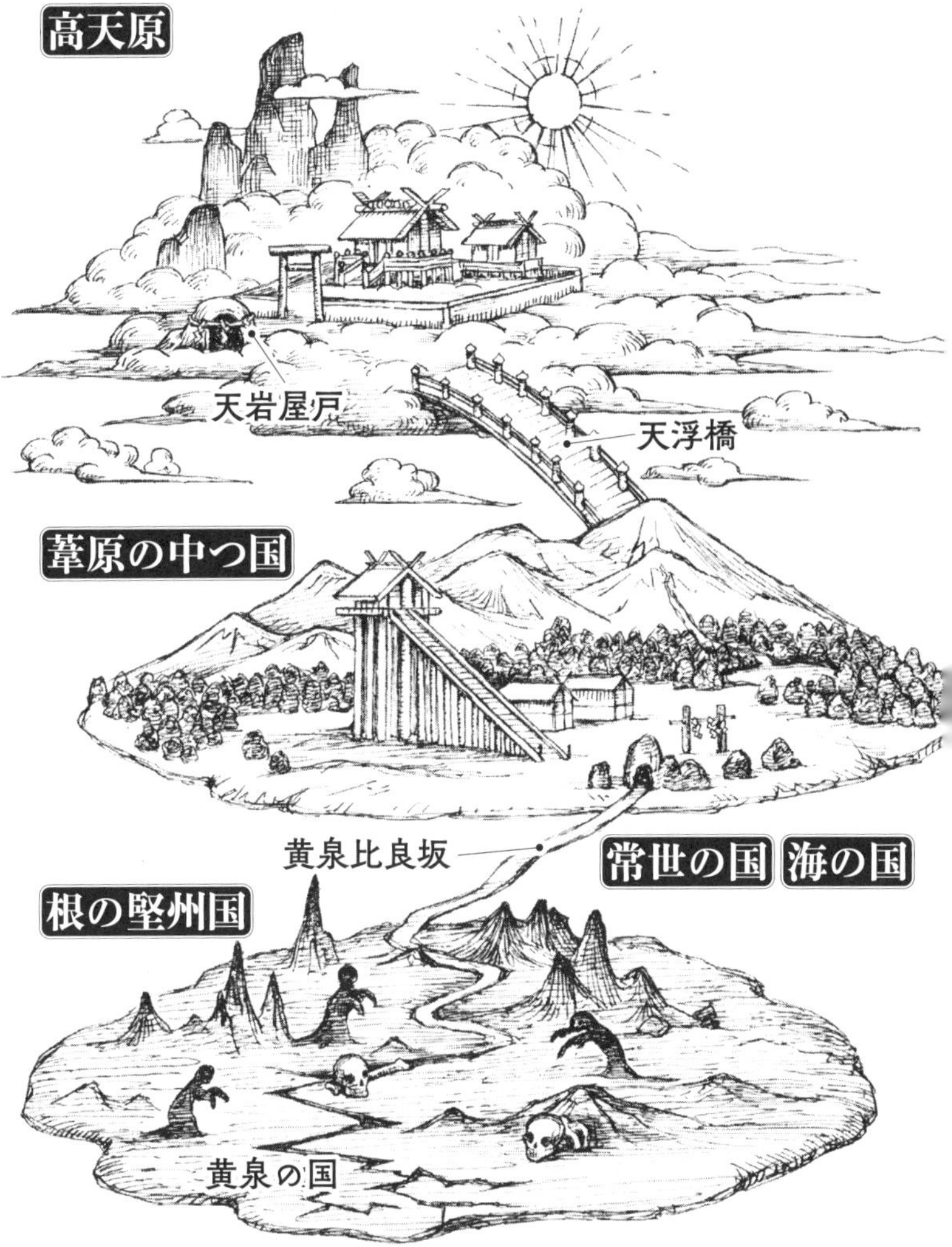

高天原

天岩屋戸

天浮橋

葦原の中つ国

黄泉比良坂

常世の国

海の国

根の堅州国

黄泉の国

はまだ形がなく、油のように漂っていました。

高天原の神々から「この漂っている土地を固めて治めなさい」と命じられたイザナギとイザナミは「天浮橋」という橋を渡って葦原の中つ国へ赴き、神器の「天沼矛」を海に突き刺しました。「こおろこおろ」と音を立てて天沼矛を引き上げると、滴った白い潮が集まって固まり、「自ずから凝り固まる」という意味の「オノゴロ島」が生まれます。

この神話からは、古代の人々が「生命の誕生」という神秘に対して、どのように考えていたのかうかがい知ることができます。当然ですが、彼らは精子と卵子の存在を知りません。天沼矛を男性器の比喩とすると、人の子どももオノゴロ島と同様に、精子が自ずから固まって人の形になると考えていたのでしょう。『古事記』では物の核となるものを「物実」と表現しますが、性行為によって生まれた物実は、女性のお腹の中にある子どもの宮、つまり子宮に入ると自ずから凝り固まって子どもが成ると考えられていたのです。イザナギとイザナミは自分たちが生まれてきた様子を「成り成りて」と表現していますが、ここからも物実から人が「成り成り」と形成されていく姿が想像できます。

――結婚によって国土を生む――

現代の科学では、世界の形や島々の形成はプレートテクトニクスや火山活動など、地球内部の自然なプロセスによってできたものだと解明され、広く知られています。しかし、

日本神話 伝承地
淡路島にはオノゴロ島の伝承地がいくつか残る。白く美しい絵島はまるで潮が固まったよう。沼島にある上立神岩は、天沼矛の刃先ともされ、中心にハートが見えるパワースポットだ。

古代の人々がそれらを知るすべはなく、島々は神々の働きによって形成されたものだと考えられていました。特にイザナギとイザナミの結婚は、日本列島の形成を語る上で、最も重要な神話といえるでしょう。男女の身体の形が違うことに気づいた二柱はその差を利用し、子どもとして日本の島々を生むことにしました。この時に印象的なのが、イザナギがイザナミに対して「子どもを生むことをどう思うか」と、確認する個所です。古代の出産は、現代よりずっと大きなリスクがあり、母子ともに命を落とす危険がある、人生を賭けた重大イベントでした。イザナギが性行為の了承ではなく、出産の了承を取っていることは、現代を生きる女性からも賛意の集まる行動ではないでしょうか。

二柱はイザナミの合意の下、結婚式を行いました。しかし結婚式の際に、女性から声をかけたことが原因で、ヒルコやアワシマという形にならない子が生まれます。神々の助言に従い、男性から声をかけると、ようやく島々を産むことができました。これを男尊女卑とされることもありますが、当時の社会では通い婚が主流。言い換えれば、男性は妻子を置いて、いつでも逃げられる環境にあったのです。男性主導で婚姻儀式を進めることは、男性に家族を支える責任を持たさせる上で重要だったのでしょう。

こうして最初に生まれてきたのは淡路島（あわじしま）でした。そのため淡路島にはイザナギとイザナミの神話が多く伝わっています。二柱はここから日本の島々や神々をたくさん生み出しました。日本の島々は、夫婦神の営みによって生まれたと考えられていたのです。これらの島々は二柱の子どもですので、神様としての名前がついています。土地どちに名前や人格（神格）があると考えると、その土地をより大切に思う気持ちが湧いてきます。この時に生まれた神々を祀る神社は、今も各地に残っています。

――地下世界の成立――

こうしてイザナギとイザナミの国生みによって地上が形成されると、同時進行で地下の世界も成立していきました。地下の国の名前は「根の堅州国」といいます。木の根の下に広がる薄暗い地下世界が想像できますね。また、「根の堅州国」の中でも「黄泉の国」は冥界であり、死者だけが住む国とされます。

『古事記』において、根の堅州国と黄泉の国の違いについて明確な説明はありませんが、黄泉の国と根の堅州国が同じ場所にあること、黄泉の国には死者しか住まないこと、根の堅州国には生者が住むことから、根の堅州国は地下の国全般を指し、黄泉の国はその中でも死者のみが住む国と考えられます。またここで注意したいのが、「国」という言葉です。現代ですと日本やアメリカ、中国など大カテゴリーの国を指しますが、当時は土地や地域を指す言葉としても使われていました。そのため、都道府県レベルの大きさの土地も「国」と表現されるのです。葦原の中つ国（地上界）の中に大八島の国（日本）があり、

日本神話 豆知識 黄泉の国の漢字は当て字のため、意味としては「夜見の国」や「闇の国」となる。中国の「コウセン」の伝説では、地下にある黄色い泉の下に死者の国があり、一度見ると二度と戻って来られないという。

根の堅州国・黄泉の国

根の堅州国

地下にある根の国。木の根のうろから行くことができ、生者も住むことができる。地下だが、野原もあるので太陽の光は届いているのかもしれない。

黄泉の国

黄泉の国は死者が住む穢れた国。スサノオが根の国を母の国と呼ぶことから、根の国に黄泉の区域があると考えられる。

その中に大和国（やまとのくに）（地域）があるという構成で、大中小の規模感によるカテゴリー分けがまだありません。ここを注意して読むと、『古事記』の世界観を混乱せずに読み進めることができるでしょう。

黄泉の国について

――イザナミの死――

イザナギとイザナミの夫婦神によって、多くの島々と神々が生まれました。しかしイザナミは火の神を産んだことで陰部に火傷を負い、やがて亡くなってしまいます。悲しんだイザナギは、死者の住む黄泉の国へイザナミを迎えに行くことにしました。この黄泉の国の入口は島根県の出雲にあり、今でもふたつの伝承地が残っています。そのうちのひとつは黄泉の国の入口で、もうひとつは根の堅州国の入口とも伝わります。

当時は生者であっても黄泉の国に行くことができました。出雲の黄泉比良坂（よもつひらさか）を降りると黄泉の入口があります。イザナギが坂を降りると、その入口に大きな御殿（ごてん）の扉がありました。扉の向こうが黄泉の国です。その前でイザナギが呼びかけると、イザナミの声が返ってきました。扉を挟んで黄泉の国の死者と会話ができたのです。

しかし、イザナミはすでに「黄泉戸喫（よもつへぐい）」を終えていたため帰れないと言います。この黄泉戸喫とは、黄泉の国の竈（かまど）で炊かれたご飯を食べる儀式のことです。今も「同じ釜の飯を食った仲間」という表現をしますが、古代においては同じ釜で炊いたご飯を食すことは、仲間や同族になる一種の儀式でした。

これと類似のルールは世界の神話でも見られ、特にギリシャ神話に似た話が残っています。冥界の神・ハデスに見染められた春の女神・ペルセポネが冥界に誘拐された話です。この時、ペルセポネが冥界のざくろの12粒のうち4粒を食べたため、地上に帰った後も12カ月のうち4カ月を冥界で過ごさなければならなくなりました。

しかし、イザナミの場合は完全に儀式を終えて、葦原の中つ国に帰れなくなってしまいました。イザナギは妻のことを諦め切れず、黄泉の扉を開けてしまいます。すると、腐ってウジが沸いたイザナミの姿がありました。辱（はずかし）めを受けたイザナミは、イザナギを殺そ

日本神話 伝承地

黄泉比良坂伝承地である松江市東出雲町揖屋では、亡くなった人へ想いを届ける「天国への手紙」が投函できるポストが設置されている。東日本大震災をきっかけに始まった活動で、毎年6月に焚き上げる。

島根県松江市東出雲町揖屋にある黄泉比良坂。『古事記』の 神話に、黄泉の国と現世の境目として登場する。

うとして襲ってきます。神秘的な国生みと神生み神話から一転、まるでホラー小説です。

このリアルな黄泉の国の表現は、古代のお墓を連想させせます。古代のお墓は奈良県の石舞台古墳のように、石で囲まれ、石の扉で閉める構造になっていました。そして当時は火葬ではありません。もしかすると、愛する妻を亡くし、耐えられずにお墓の石の扉を開けて、腐った妻の姿を見てしまった人が実際にいたのかもしれません。

――黄泉の国から逃げ帰るイザナギ――

神が亡くなった表現はイザナミの死がはじめてでしたが、それよりも前から死者は多くおり、黄泉の国で生活していたのでしょう。イザナギが逃げると、イザナミは黄泉醜女（よもつしこめ）と１５００もの軍勢でイザナギを追いました。すごい数の追手です。イザナギはこの時、食べ物を利用して彼らから逃げました。

まずは、角髪（みずら）（結ってあった自分の髪）からかづらの紐（植物のツル）を解いて黄泉醜女に投げつけます。すると、かづらからブドウが実（みの）って、黄泉醜女は美味しいブドウにかぶりつきました。また追われると、次は竹櫛（たけくし）を折って投げつけます。すると今度はタケノコが生えて黄泉醜女がかぶりつきました。その間にイザナギは逃げましたが、今度は１５００もいる黄泉の軍勢に追われます。イザナギは後ろ手（呪いの作法？）に戦い、逃げ道にあった桃を投げて黄泉軍を追い払いました。このことから、イザナギがファンタジー世界の魔法のようなものが使えたことがわかります。また、黄泉の国に新鮮な食べ物がなく、敵を引きつけるのに十分だったこと、同じ食べ物でも桃は神聖な果物のため、アンデッド属性の黄泉の住人には強い攻撃だったことがわかります。

こうして黄泉軍が全滅してしまうと、最後はイザナミ自らが後を追ってきました。しかし、イザナギは黄泉国と葦原の中つ国を結ぶ坂に大岩を置いて道を塞ぎます。要は、結界を張ったのです。この坂を塞いで結界を張る表現は海の国の神話でも見られます。現代を生きる我々が、黄泉の国や海の国に行けないのは、この結界のせいであるというメッセージになっているのです。

日本神話 豆知識

ギリシャ神話では愛する妻を亡くし冥界へ行った夫が、ハデスと交渉し、「地上に戻るまで後ろを振り向かなければ妻を返す」と約束する。しかし後ろを振り向いてしまい、妻は冥界に引き戻された。

イザナギとイザナミの言い合い

仲睦まじい２人
だったが…
こんなことを
するなら
あなたの国の
人間を
１日１０００人
殺します！
そんなことを
するなら
私は１日
１５００人の
赤子を
産ませよう！
イザナミ
イザナギ
日本で初めての言霊による呪い合戦が勃発！

──人の寿命の起源──

二柱は岩を挟んで向かい合うと、呪いの言葉を言い合いました。

イザナミは「愛しい私の夫よ、このようなことをするならあなたの国の人草（人間）を1日1000人、首を絞めて殺しましょう」と言いました。それに対しイザナギは「愛しい私の妻よ、あなたがそうするなら、私は1日に1500の産屋（赤子を生むための出産小屋）を建てましょう」と言います。人の寿命の起源となる神話です。

ここでイザナミが言った、「首を絞めて殺す」という言葉は、現代よりも多くの人の死に際に立ち合っていたであろう、古代ならではのリアリティ溢れる表現です。寿命を迎えた人は、誰かに首を絞められて喘ぐように息を引き取ります（下顎呼吸）。その姿を見た古代の人々は、人を死へと誘う神様が首に手を伸ばしているように感じたのかもしれません。

一方のイザナギは産屋を建てることで人々を葦原の中つ国へと誘います。今では馴染みのない産屋ですが、古代は１回の出産につき１産屋を作っていました。つまり「１日１５００人の赤子を産ませましょう」という意味になります。黄泉の国神話は、死生観に深く関わる神話のため恐ろしくもありますが、数だけを見れば１日に５００人ずつ人の数が増えていく計算になっています。実は人類の繁栄を願った神話でもあるのです。また最初は「男女の誘いの神」として描かれていたイザナギとイザナミですが、最後は「人を生と死へ誘う神」となります。日本ではじめての夫婦神といえるイザナギとイザナミが我々を現世へイザナい、黄泉へとイザナう。そう考えると、医療が発達した現代でも人が死に抗えないのは、二柱が今も互いに愛し合っているからではないかと考えてしまいます。

こうして日本神話のベースといえる、三層の世界が出来ました。天上界は「高天原」といい、天津神と呼ばれる尊い神々が住んでいます。地上は「葦原の中つ国」といい、国つ神と呼ばれる神々と人間たちが住んでいます。そして地下は「根の堅州国」といい、人が住んでいる表現はありません。生と死が曖昧で、人が住むには難しい場所なのでしょう。荒神である、スサノオが住んでいる記述はあるので、強ければ住めるのかもしれません。

日本神話 豆知識

根の堅州国には紀伊国（木の国）の木の洞から行けたという。『となりのトトロ』でも木の洞から地下空間に落ちる表現がある。熊野古道などがあり、特に森が深い地域なので神隠しとの関連も。

高天原

天岩屋戸
太陽神アマテラスが隠れた場所として知られる岩屋。岩戸は岩屋を塞ぐ戸のこと。
高天原
天津神が住む天上界。雲の上にあると考えられているが、田畑や山川もある。
天浮橋
高天原と葦原の中つ国、2つの異世界を結ぶ橋。全国に数本あると考えられる。

また、根の堅州国の中の「黄泉の国」には死者が住んでいます。

高天原と葦原の中つ国の関係性

――高天原は天津神の住む天上界――

高天原に住む神々を「天津神」、葦原の中つ国に住む神々を「国津神（くにつかみ）」といいます。天津神は国津神よりも尊い神とされていて、『古事記』には国津神が天津神に対してへりくだるシーンが多くあります。

しかし、実はこの2種類の神を明確に分けるルールがありません。まず、イザナギとイザナミは葦原の中つ国に長く住んでいましたが、高天原から降りてきたため天津神となります。

高天原の最高神といえるアマテラスは葦

原の中つ国で生まれましたが、高天原に最高神として住んでいるため、天津神です。また、アマテラスと一緒に生まれたスサノオは元々天津神でしたが、高天原を追い出されたため国津神です。そしてスサノオと条件が似ているオオヤマツミやオオワタツミは、天津神のイザナギとイザナミから生まれていますが、地上で生まれ地上を治めていることから国津神に分類されています。

以上から、**高天原に住んでいれば、天津神。その後、地上に降りた神も天津神。親が天津神で高天原に住めるなら天津神。ただし葦原の中つ国に生まれ育ち、定住したなら国津神。高天原を追放された場合も国津神。そして一度国津神になったら、自分も子孫も天津神には戻れない**。というルールだと考えられます。

いずれにせよ、高天原に住んでいたら天津神。葦原の中つ国に住んでいたら国津神と考えて差し支えないでしょう。後に初代天皇となるカムヤマトイワレビコは、天津神ではなく「天津神の御子（みこ）」と呼ばれます。

――**境界線は雲**――

高天原と葦原の中つ国との境は、雲で分けられています。トヨクモノという神がその役割をしており、もくもくとたくさんの雲が野原のように広がった上に高天原があることが想像できます。雲の上なのでふかふかしていそうですが、「原」や「野」という言葉が使

日本神話ギモンと考察

大和で神武天皇と戦ったトミビコは「私は天津神の御子に仕えている。だからお前は偽物だ」と言った。それに対して神武天皇は、「天津神の御子はたくさんいる」という意外な答え。さすが八百万。

「天浮橋」ではないかとされている京都の天橋立。日本三景の一つ。

われているように、雲の上に葦原の中つ国と同じような地面のある国が存在すると考えられていたのでしょう。神殿、機織り場などの建物、田んぼ、畑、川、岩屋などの自然が高天原にはちゃんとあるのです。まさに「天空の城ラピュタ」のようです。

高天原と葦原の中つ国の行き来は「天浮橋」という橋を通ります。イザナギとイザナミ、オシホミミ、ニニギが葦原の中つ国に降りる際に、天浮橋を利用するシーンがあります。地下に繋がる黄泉の国と違って、空に浮いた橋のため伝承地が明確ではないのですが、有名どころでは京都の天橋立が天浮橋だといわれています。ここでは天浮橋が橋ではなく梯子とされ、イザナギが寝ている間に落としてしまったという伝説があります。

――地上に繋がる天浮橋――

天浮橋の前には天八衢（あめのやちまた）という分かれ道があり、イザナギとイザナミは淡路島上空、オシホミミは出雲上空、ニニギは高千穂上空にそれぞれ立ったとされます。このことから、天八衢をそれぞれ進んだ先には、地上に繋がる天浮橋がいくつかあったのでしょう。ニニギの天孫降臨（てんそんこうりん）の際には天浮橋までの移動が詳しく描かれており、幾重もの雲を掻き分けいくつもの道を進んでから、ようやく天浮橋に辿り着いています。高天原は葦原の中つ国と層になった広大な土地のようです。ニニギ一行は平行移動をしているのに、雲を掻（か）き分けて進む表現は、雲の上の世界を感じることができて面白いですね。

また、天浮橋の渡り方については特に描かれていません。イザナギとイザナミは天浮橋から海に矛を挿していますし、オシホミミも天浮橋の上から地上の様子を見ているので、地上との距離が近く、渡り切れば意外と地上まで繋がっているのかもしれませんが、羽衣（はごろも）伝説のように空を飛んで降りたか、船で降りた可能性もあります。船の説については、三重県の椿大神社（つばきおおかみやしろ）にニニギの船が降りたという伝承があり、ニギハヤヒという神様も天磐船（あまのいわふね）で地上に降りてきた伝承があります。

国譲りの際もアメノトリフネが出てきますが、これは空を飛べる船の神様でしょう。船

日本神話 伝承地

天浮橋の伝承地は他にもあり、淡路島と鹿児島県の柄基（つかもと）にひっそり残っている。8という数字は、10本弱というアバウトな数字なので、天浮橋は日本の主要箇所に伸びていたのかもしれない。

高天原と葦原の中つ国の境界線

は船でも、空を飛べる船でなければ行き来ができません。鳥は自由に行き来ができるので、遣いとして出てきます。高天原は空の上の、人間は行くことができない特別な場所なのです。

葦原の中つ国について

――神と人が共存する葦原の中つ国――

葦原の中つ国は我々が住む地上界です。中つ国は、天上界と地下世界の中心にある国という意味です。そのため、地上界全体が中つ国となります。日本自体は、大きな島々が連なる国という意味の「大八島国」や、葦が生い茂る、実りの秋が長いみずみずしい国という意味の「豊葦原の千秋長五百秋の水穂国」と、呼ばれます。本州は

「秋津島」とも呼ばれ、「アキヅ」はトンボの古名のため、トンボの島という意味です。葦の生い茂る原っぱにトンボが行き交う風景が目に浮かびます。ちなみに、天皇の治世になってからは、現代の奈良県に位置する「ヤマト」が首都になるため、ヤマト自体が日本という意味として使われるようになりました。古い言葉のため、「倭」「大和」「日本」といった、複数の当て字があります。このうち、「日本」という言葉をはじめて使ったのは聖徳太子とされ、その後、歴史の編纂を命じた天武天皇が公式に「日本」という漢字を使うようになりました。

――葦原の中つ国と繋がる異世界「常世(とこよ)の国」と「海の国」――

葦原の中つ国の海の向こうには、「常世の国」があるといいます。沖縄の「ニライカナイ」とも同一視される国で、海の彼方にある不老不死の理想郷です。ただし、一度行くと基本的には帰ってこられないので、死者の国ともされます。国造りの神であるスクナビコナや、神武天皇の兄であるミケヌは常世の国に行ったきり帰ってきませんでした。

しかし、11代・垂仁(すいにん)天皇の時代。天皇が、常世の国に生(な)るという不老不死の実・非時香木実(ときじくのかくのこのみ)を求めて、臣下のタヂマモリが常世の国に行ってきたという話が残っています。タヂマモリは、10年もかけてやっとの思いで常世の国に辿り着き非時香木実を手に入れて帰ってきましたが、すでに天皇が亡くなっていたため、献上することができませんでした。こ

日本神話 豆知識 葦原の中つ国は「三層の中間の国」という意味だが、中華や中国については「世界の中心の花、世界の中心」という意味である。中国で皇帝になることは、世界征服と同等の権威あることだった。

の時に持って帰った実が現在の「橘」であると伝えられ、今では縁起物です。右近橘・左近桜といって、京都御所の内裏に今でも橘が植えられており、ひな人形の飾りとしても親しまれています。橘は常緑樹のため「永遠」を意味し、対する桜は華やかな「繁栄」を意味します。「日本が永遠に繁栄していきますように」という願いが込められています。

そしてもう一か所、葦原の中つ国と繋がる異世界として、海の国があります。黄泉の国や、常世の国と違って正式な名前はありませんが、海神であるオオワタツミが住んでいます。カツラの木が生えていたり、鴨が住んでいたりするので、海中の国とは断言できないのですが、一方で魚の鱗のような街並みで、海の坂を降りないと行けないこと、また、鮫が海の中を渡り、上の国（地上界）に送るという表現があることから、海中にある国と考えた方が自然でしょう。竜宮城のイメージですね。

ただ、海の国への坂もトヨタマビメが岩で塞いでしまったため、行くことができません。黄泉の国に繋がる黄泉比良坂、海の国の繋がる海坂、二つとも坂を塞ぐ表現があり、なぜ現代を生きる我々が神話世界に出てくる異世界に行けないのか、きめ細やかな説明がされており、日本神話の世界観を洗練させています。

以上、日本神話の基盤となる概念を見てきました。次章ではこの世界が『古事記』にどのような物語として描かれているのかを見ていきましょう。

『古事記』に見る日本神話

日本の神々の物語

物語壱 天地開闢

[訳] 天と地がはじめて分かれたとき、高天原に天之御中主神、高御産巣日神、神産巣日神が成りました。この三柱はみんな独神で、身を隠しました。次に、国（地上）が若く浮いた油の如く、海月のように漂っていた時、葦が芽吹くように萌え上がったものによって成った神が宇摩志阿斯訶備比古遅神。次に天之常立神。この二柱もまた独神で、身を隠しました。以上の五柱は特別な別天津神といいます。次に成った神の名は、国之常立神。次に豊雲野神。この二柱もまた独神で、身を隠しました。次に成った神の名は、宇比地迩神、次に妹（妻のこと）の須比智迩神。次に角杙神、次に妹の活杙神。次に意富斗能地神、次に妹の大斗乃弁神。次に於母陀流神、次に妹の阿夜訶志古泥神。次に伊邪那岐神、次に妹の伊邪那美神。以上の国之常立神から伊邪那美神までを神世七代といいます。

ここで天津神の皆々は、伊邪那岐命と伊邪那美命の二柱に「この漂える国を治め造

日本神話 豆知識

ナカヌシ、タカミムスヒ、カムムスヒは性別のない独神だが、タカミムスヒは男神、カムムスヒは女神で対の神ともいわれる。タカミムスヒは矢を射り、カムムスヒは間接的に母乳に関わる表現がある。

り固め成せ」と言って、天沼矛（あめのぬぼこ）を授けて託しました。二柱が天浮橋に立ち、天沼矛を挿し下ろして海をこおろこおろと掻き鳴らし引き上げると、その矛の先から滴り落ちた潮が重なり積もって島となりました。これが淤能碁呂島（おのごろじま）です。その島に天降（あまくだ）りすると、天御柱（あめのみはしら）を立てて八尋殿（やひろどの）を建てました。

［**解説**］はじめに天と地が分かれ世界がはじまりました。そこから次々に神々が生まれ、世界が形取られていきます。最初に生まれた神々の名前が並び、一番挫折しやすい箇所といわれる冒頭部分です。神々の名前を一柱一柱見ていくと、興味深い発見がありますが、最初に読むときは読み飛ばしても全く支障はありません。

物語弐　国生みと神生み

［訳］伊邪那岐命は妻の伊邪那美命に「あなたの身体はどのように成っているのか」と聞きました。すると「私の身体は成り成りましたが、成りきらなかったところが一か所あります」と答えました。すると伊邪那岐命は「僕の身体は成り成ったが、成りすぎて余っているところが一か所ある。だから僕の身体の成り余ったところで、あなたの身体の成りきらなかったところを挿し塞ぎ、国土を産み成そうと思う。あなたは産むことをどう思うか」と聞きました。伊邪那美命は「それは良いですね」と答えまし

た。こうして産んだ子が、淡道之穂之狭別島（淡路島）。次に伊予之二名島（四国）この子はひとつの身体に四つの顔がついていました。名前は、愛比売（伊予国・愛媛県）、飯依比古（讃岐国・香川県）、大宜都比売（粟国・徳島県）、建依別（土左国・高知県）です。次に隠伎の三子島（隠岐諸島）。次に筑紫島（九州）。この子もひとつの身体に四つの顔がついていました。名前は、白日別（筑紫国・福岡県）、豊日別（豊国・大分県）、建日向日豊久士比泥別（肥国・佐賀県と長崎県と熊本県北部）、建日別（熊曽国・熊本県南部と鹿児島県）。次に伊岐島（壱岐島）、津島（対馬）、佐度島（佐渡島）、大倭豊秋津島（本州）を産みました。この八島を最初に産んだことから、日本を大八島国といいます。二柱はその後も、多くの島々を産みました。

国土を産み終わると、二柱は更に神々を産みました。「大事を成した」という意味の大事忍男神を皮切りに、石の神・戸の神・屋根の神など建築の神々。風の神々、海の神々、水の神々、木の神々、山の神々、船の神、穀物の神を産みました。しかし、次に火の神・火之迦具土神を産んだことによって伊邪那美命の陰部は焼かれ、病に臥せてしまいました。神々を産めなくなった伊邪那美命は、嘔吐、排便、排尿によって神々を成しましたが、ついに亡くなってしまいます。伊邪那岐命は「愛する僕の妻の命との引き換えが、たかが子の一匹だなんて」と言って、妻の枕元や足元で腹ばいに

日本神話伝承地

愛比売は「兄姫」とも同じ音で、姉の姫という意味だ。対する妹は「弟姫」といい、浦島太郎に出てくる「乙姫」も、妹の姫と読めるので、もしかしたら姉がいるのかもしれない。

葦原の中つ国

葦原の中つ国
我々人間が住む地上界。葦原の中つ国に住む神は国津神と呼ばれ、天津神と区別されている。
黄泉比良坂
葦原の中つ国と根の堅州国・黄泉の国を結ぶ坂。天浮橋と同様に複数あり異世界を繋ぐ。

なって泣きました。亡くなった伊邪那美命は、比婆山（ひばやま）に埋葬しました。伊邪那岐命は伊邪那美命の死の原因となった火之迦具土神の首を、腰に挿していた十拳剣で斬って殺しました。

［解説］イザナギとイザナミは日本の父母といえる神様ですが、最初に二柱の間に生まれたのはヒルコとアワシマという形にならない子でした。流産とも読み取れますが、この悲しみを乗り越えて二柱は多くの島々と神々を産みます。そして日本の基礎ができました。しかしイザナミは火の神を産んだことで陰部に大やけどを負い、それが原因で亡くなってしまいます。ここでイザナギは自分の子である火の神・ヒノカグツチを殺害するというショッキングな行動を起

こします。しかし、その身体や血からは製鉄に関する神々が成りました。脅威にもなる火を利用して、人々が製鉄技術を身につけたことを示したのでしょう。イザナギとイザナミが島々や神々を産んだことによって、人々の文明が徐々に成長していったことが読み取れます。

物語参　黄泉（よみ）の国

［訳］伊邪那岐命は妻の伊邪那美命に会いたいと願い、追って黄泉の国に行きました。黄泉の御殿の扉を挟んで伊邪那美命に向かい合うと、伊邪那岐命は「愛しき僕の妻よ、僕とあなたで作った国は、未だに作り終えていない。だから帰ろう」と言いました。伊邪那美命は「あなたが早く来なかったことが、悔しいです。私は黄泉戸喫（よもつへぐい）を終えてしまいました。もう帰れません。しかし愛しき我が夫が来てくださったことは恐れ多いことです。帰りたいと願っていることを、しばらく黄泉神（よもつかみ）に相談します。私を見てはいけませんよ」と言って宮殿の内部へ帰っていきました。しかし伊邪那岐命はとても長い間待たされ、耐えかねてしまいました。そこで、左のみずらに刺した櫛の端の太いところをひとつ折って火をつけ中に入ります。すると、コロコロと鳴くウジにたかられた伊邪那美命の姿があったのです。伊邪那岐命は恐れて逃げ帰ると、伊邪那美

日本神話 豆知識　ヒノカグツチの遺体から成った神々は、実は製鉄技術に関わる神々だけでなく、山の神も生まれている。一見無関係に思えるが、鉄鉱石を山から採掘するためだと考えられ、やはり製鉄に関連している。

命は「私を辱めましたね」と言って、すぐに黄泉醜女、黄泉の軍勢、雷神を遣わして追いかけさせました。伊邪那岐命は抵抗し、黄泉比良坂の下に生っていた桃の実を取って投げつけると、みんな逃げ帰りました。すると伊邪那美命が自ら追ってきます。伊邪那岐命は大岩によって黄泉比良坂を塞ぎました。伊邪那美命は岩を挟んで向かい合い、別れの言葉に呪いをかけます。「愛しき私の夫よ、このようなことをするなら私は一日千人、あなたの国の人間の首を絞めて殺しましょう」すると伊邪那岐命は「愛しき僕の妻よ、あなたがそうするならば、僕は一日千五百の出産小屋を建てよう」と伝えました。こ

のことから一日に必ず千人が死に、一日に必ず千五百人が生まれることになりました。

［解説］ 黄泉の国の神話では死後の世界と共に、人々の寿命の起源が語られています。この後、イザナギは黄泉の穢れを清めるため禊を行いました。禊とは海や川などに入って、水で身体を清める儀式のことです。神社の入口に手水舎があり、手・口を清めてから神社に入るのは、この禊を簡易化したものです。

イザナギが禊をすると、その穢れからは様々な神様が成り、最後に左目を洗うとアマテラス、右目を洗うとツクヨミ、鼻を洗うとスサノオが成りました。三貴子と呼ばれる有名な神々です。イザナギは大喜びで、アマテラスに高天原を、ツクヨミに夜の食国を、スサノオに海原を治めるよう委任しました。しかしスサノオは大人になっても泣きわめき、「亡き母の国に行きたい」と言います。イザナギはひどく怒って、スサノオを追放しました。こうして、追放されたスサノオが姉のアマテラスに挨拶をしに行ったことが、天岩屋戸事件のトリガーとなってしまうのです。

物語肆 天岩屋戸

［訳］ 高天原に登った建速須佐之男命は、田んぼの畔を壊して埋めたり、神殿で糞をまき散らしたり、ひどい行いをしました。しかし天照大御神は、「あれは糞ではなく、

日本神話 豆知識

スサノオが「亡き母に会いたい」と言った時、母には「妣」という漢字が使われている。この「妣」は、「逝く」と同じように漢字だけで死を表す文字で、一文字で「亡き母」という意味を持つ。

酒に酔って吐いてしまったのでしょう。また田んぼは、土地を惜しんで埋めたのでしょう」と言って、弟を咎めることをしませんでした。すると須佐之男命の行動はますますひどくなっていきました。

ある日、天照大御神が機織りをしていると、突然、須佐之男命が屋根に穴を開けて、皮を剥いだ馬を投げ入れてきました。その場にいた機織り女はショックで自分の陰部を突いて死んでしまいます。これを見た天照大御神は、とても恐ろしくなり天岩屋の中に籠ってしまいました。

すると高天原も葦原の中つ国も暗闇に飲み込まれ、常に夜になってしまいました。あらゆる災いが起きて困った八百万の神々は天安川(あめのやすかわ)に集まり、会議をしました。知恵の神・思金神(おもいかねのかみ)が作戦を考えます。彼はまず、常世長鳴鳥(とこよのながなきどり)（鶏）を集めて鳴かせ、鏡と勾玉(まがたま)を作らせ榊(さかき)の木を飾り付けました。占いの神・布刀玉命(ふとだまのみこと)が岩戸の前に捧げ物を奉る(たてまつる)と、祝詞(のりと)の神・天児屋命(あめのこやねのみこと)が祝詞を奏上します。芸能の神・天宇受売命(あめのうずめのみこと)は大きな桶をひっくり返し踊ると、神懸(かみがか)って乳房をあらわにし、服もギリギリまで垂れてしまいます。これを見た八百万の神々は、高天原が揺れるほどの大笑いをしました。

天照大御神は不思議に思って、ほんの少し戸を開きました。「私が籠って外は暗いはずなのに、どうして天宇受売命は踊って、八百万の神々は笑っているの？」と聞くと、天宇受売命が「天照大御神様よりも尊い神が現れたので、喜び笑いあっているのです」と答えました。天児屋根命と布刀玉命が岩戸に鏡を向けると、その鏡に映った尊い神の顔を見て、天照大御神は戸口からしずしずと出てきました。その瞬間、力の神・天手力男神(あめのたぢからおのかみ)が天照大御神の手を取って引き出し、布刀玉命がしめ縄を張って、岩屋の中に戻れないように結界を張りました。こうして天照大御神が出てくると、高天原と葦原の中つ国に日の光が射して、世界は明るさを取り戻しました。

[解説] イザナギとイザナミの時代と比べると、ずっとストーリー性が増します。天岩屋戸

日本神話 豆知識

乳房の放送が規制されている現代では理解しがたいかもしれないが、2000年ごろまではゴールデンタイムに乳房の映像がテレビに流れていた。古代では、ウズメのダンスはコメディーだったのだろう。

は太陽神であるアマテラスが引き籠った神話として有名ですが、八岐大蛇神話で活躍するスサノオの犯罪が引き金になっていることは意外と知られていないのではないでしょうか。この神話は日食を表しているともされ、一度消えた太陽が復活することでアマテラスの力が増したと考えられています。

またアマテラスが祀られている伊勢の神宮では、20年に一度、社殿や御装束神宝を全て新しくする式年遷宮が行われてますが、アマテラスのお引越しを行う「遷御の儀」では、天岩屋戸神話にならって、神職が「カケコー」と3度、鶏のように鳴いてから外に出てきてもらうという厳かながらも可愛らしい神事が残っています。

そしてこの事件を起こしたスサノオは高天原も追放されてしまいました。

物語伍　八岐大蛇

[訳] 高天原を追放された須佐之男命は、出雲の国の斐伊川の上流に降り立ちました。この時、川から箸が流れてきたので、川のさらに上流に人が住んでいると思い、川沿いを登ります。すると老夫婦がいて、少女を囲んで泣いていました。そこで須佐之男命は「おまえたちは誰か」と聞きました。老父が「私は国津神で、名を足名椎と申します。また妻の名は手名椎、娘の名は櫛名田比売と申します」と答えると、須佐之男

命はまた「おまえたちはなぜ泣いているのか」と聞きました。老父は「私どもの娘は元々八人いました。しかし八岐大蛇が毎年やってきて一人ずつ娘を食べてしまったのです。また今年もその時期がやってきたので、泣いています」と答えます。須佐之男命は更に「その姿はどのようなものか」と聞きました。老父は「目は赤くホオズキのようで、ひとつの体に八つの頭と八つの尾がついています。またその体には木が生え、谷を八つ、峰（みね）を八つ渡るほどの大きさがあります。その腹を見れば常に血でただれているのです」と答えました。すると須佐之男命は、「おまえの娘を俺にくれ」と言いました。老父は「恐れ多いことです、しかし私たちはまだあなたのお名前を存じません」と言いました。須佐之男命は、「俺は天照大御神の弟である。そして今、天から降りてきたばかりだ」と言いました。それを聞いた老夫婦は「それは恐れ多いことでございます。娘を奉りましょう」と答えました。

　そこで須佐之男命は、娘を櫛に変身させて髪に挿しました。更に老夫婦に「おまえたちは、何度も醸（かも）した濃い酒を造り、垣を巡らせ八つの門を作り、その門ごとに濃い酒を入れた酒船を用意するように」と指示を出します。老夫婦が言われたままに準備をして待っていると、八岐大蛇がやってきました。大蛇は八つの垣の門にそれぞれの頭を入れて、酒船の酒を飲みはじめると、やがて酔って眠ってしまいました。そこを

日本神話ギモンと考察

八岐大蛇の顔は9つ!? 俣（また）とは、頭ではなく、付け根の方を指すので、8つ俣があるなら、首は9本になるはずだという説がある。しかし、8はだいたいの数なので、どちらでもいいと思う。

須佐之男命は十拳剣（とつかのつるぎ）を抜いて切り散らしました。大蛇の血が斐伊川に流れます。しかし尾の中心を斬った時、剣の刃がこぼれてしまいました。不思議に思ってその尾を刺し開いてみると、大剣が出てきました。これはとんでもない剣だと思って、姉の天照大御神に献上しました。これが草薙剣（くさなぎのつるぎ）です。

須佐之男命は出雲に住むことを決め、「この地に来て心が清々しくなった」と感じた土地に宮殿を建てました。その場所を須賀（すが）といいます。ここに須賀宮を建てた時、雲が立ち上ったため、須佐之男命は歌を詠みました。

「八雲立つ　出雲八重垣（いずもやえがき）　妻籠（つまご）みに
八重垣作る　その八重垣を」

［解説］ここでは日本最古の和歌が詠まれています。「八雲立つ」のフレーズは有名なので、日本神話を知らない方でも聞いたことがあるかもしれません。スサノオは荒々しい武神として祀られますが、この神話から学業や芸術のご利益もあるとされています。

また、八岐大蛇神話はスサノオが大蛇を退治して妻を娶るサクセスストーリーとして語られがちですが、天岩屋戸事件の罪によって追放された先での出来事でした。有名な「天岩屋戸」や「八岐大蛇」の話も本来は繋がった物語なのです。また、スサノオは八岐大蛇を倒した後、手に入れた草薙剣をアマテラスに献上しました。詳細は語られていませんが、スサノオの謝罪とアマテラスの許しによってわだかまりがなくなったことを示しているのでしょう。絵本のヒーローサクセスストーリーだけでは済ますことができない、一連の流れを読み取ることができます。

また古代の出雲では製鉄が盛んで、鉱害によって川が赤く染まるほどだったといいます。八岐大蛇の燃えるような赤い目や赤くただれた腹は、まるで鉄を作り出すタタラ場の炎や溶けた鉄のようですし、タタラ場が山の中にあり大量に木や水を使うところにも関連性を感じさせます。その尾から剣が出てくるのも興味深い表現です。八岐大蛇の神話は出雲のタタラ製鉄を表していたのかもしれません。

日本神話 豆知識
草薙剣の名前の由来は、ヤマトタケルが草を薙ぎ払ったことなので、ここで名前が出てくるのはおかしいのだが、編纂当時すでに草薙剣として定着していたのだろう。天叢雲剣という別名もある。

物語陸

因幡の白兎

[訳] 須佐之男命の六代後の孫に、大己貴神という少年がおりました。大己貴神には多くの兄がおり、彼らは八十神と呼ばれていました。ある日、八十神は因幡に住む八上比売を娶りたいと考えて、因幡に向かいました。その時、八十神は大己貴神に荷物の袋を持たせて従者としてついて来させました。

やがて気多の岬に着くと、皮の剥がれた兎が伏せていました。八十神は兎に「治したければ、この海の塩水を浴びて、風がよく吹く高山の裾で仰向けに寝なさい」と伝えました。兎は八十神に言われた通りにしましたが、海水の塩が乾くと風に吹かれた兎の肌は裂けてしまいました。兎は痛くて泣き伏せていると、最後に通りかかった大己貴神が兎を見て言いました。「なぜあなたは泣いているのですか?」兎は答えて、「僕は隠岐の島に住んでいたのですが、こちらの浜に渡ろうとしてもその術がありませんでした。そこで、海の鮫を騙して『私とあなたと競争をして、この島に住む兎と鮫どちらが多いか数えましょう。あなたは鮫の仲間をみんな集めてこの島から気多の岬まで並べてください。私がその上を踏んで、走りながら数を数えます。これで兎が多いか鮫が多いかわかるでしょう』と言いました。すると鮫は騙されて列になって伏せたので、僕はその上を踏みながら数を数えて、今にもこの地に降り立とうとした時、『あなたは僕に騙されたね』と言ったのです。すると言い終わった途端に、一番端に伏せていた鮫が僕を捕らえて、ことごとく僕の毛皮を剥いでしまったのです。それで痛くて泣いていたところ、あなたよりも先に来た八十神から『海水を浴びて仰向けに寝なさい』と教わりました。しかし、教えの通りにすると僕の身体はさらに傷だらけになってしまったのです」と言いました。

そこで大己貴神は兎に「今すぐにこの河口を登って真水であなたの身体を洗いなさい。そしてその川沿いに生えたガマの花粉をまき散らし、その上に転がるのです。そうすれば、あなたの身体は必ず元の毛皮のように癒えるでしょう」と教えました。兎がその通りにすると、本当に元の通りに戻ったではありませんか。兎は大己貴神に「八十神は絶対に八上比売を娶れません。袋を担いでいようとも、彼女はあなたが得ますよ」と言いました。この兎は今は兎神と呼ばれています。

そして八上比売は、八十神に「私はあなたたちの言うことは聞きません。大己貴神に嫁ぎましょう」と言いました。

［解説］有名な「因幡の白兎」の神話です。心優しいのにいじめられていた主人公が、トラブルをきっかけに美しい姫を娶る王道サクセスストーリーですね。実はこの主人公、スサ

日本神話 伝承地

因幡の白兎は、現在、鳥取県の「白兎神社」に祀られている。縁結びのご利益がある神社として人気があり、鳥居の前にはオオナムチと白兎の像もあるので、ぜひ足を運んでみると良いだろう。

鳥取県の白兎神社にある「因幡の白兎」伝説の像。

ノオの子孫だったのです。さらにこの後は、オオナムチとスサノオの新旧ヒーローの共演という、少年漫画さながらの熱い展開が待っています。

また「因幡の白兎」という題名のため、多くの方が白くて可愛らしい兎を想像していると思いますが、白兎は原文で「素兎」と書き、「皮を剥がされた裸の兎」という意味になります。ここで兎の傷の治療に使われたガマの花粉は古来より傷薬として使われており、今でも漢方として重宝されています。このことからオオナムチに、正確な医学の知識があったことがわかります。またここで神話らしく面白いのは、ガマの治療によって兎の身体が元のフワフワの状態に戻るところです。本来であれば、皮を剥がされた兎の身体に毛が戻ることはありません。
しかしガマの綿毛が兎の毛のようにフワフワに爆発する現象が、兎の剥がれた皮膚の上で起こったのでしょう。あっという間に兎は元の姿に戻りました。

物語漆 根の堅州国（かたすくに）

［訳］八上比売に求婚を断られた八十神は怒って、大己貴神を殺す計画を立てました。山の麓（ふもと）で、八十神は大己貴神に「この山には赤い猪がいる。そいつを我々が追って落とすから、お前が捕まえろ。やらなければ殺してやるぞ」と言いました。そして猪の形をした大きな岩を真っ赤になるまで火で焼いて、山の上から落としました。

大己貴神はその岩を捕まえようとして、焼け潰れ死んでしまいました。これを悲しんだ大己貴神の母親は、天に昇って神産巣日神（かむむすひのかみ）にお願いをして、息子を生き返らせました。しかし麗しい男になって生き返った大己貴神を見た八十神は、また彼を山に連れていき、切り伏せた大木の間に挟んで殺してしまいます。母親はまた息子を生き返らせましたが、「あなたがここにいては、また八十神に殺されてしまいます」と言って、木の国の大屋毘古神（おおやびこのかみ）のところへ行かせました。大屋毘古神は「根の堅州国にいる須佐之男命のところへ向かいなさい。大神が必ず知恵を貸してくれるでしょう」と言

日本神話 豆知識
ガマの穂の爆発を見たことがなければ、動画検索などでご覧いただきたい。ガマの止血薬としての現実の効果と、穂の爆発する様子を兎の毛皮に見立てたファンタジーを含む、魅力的な神話である。

って、八十神に追われる大己貴神を木の俣からこっそり逃がしてくれました。

大己貴神が須佐之男命のところへ行くと、娘の須勢理毘売（すせりびめ）が現れました。二柱は惹かれ合い、すぐに結ばれました。須勢理毘売は父の須佐之男命に、「とても麗しい神が来ました」と伝えると、「こいつは葦原色許男（あしはらしこお）だ」と言って、大己貴神を招き入れ、蛇がたくさんいる室（土間の小屋）に泊めようとしました。すると須勢理毘売が来て蛇を鎮める領巾（ひれ）（天女が巻く、薄くて細長い肩かけ）を夫に授けました。大己貴神がその領巾を三回振ると蛇は鎮まり、ゆっくり寝ることができました。次の夜は百足（むかで）と蜂の室に閉じ込められましたが、また妻が持ってきた領巾のおかげで簡単に出てくることができました。

すると須佐之男命は鏑矢（かぶらや）（射ると大きな音が鳴る矢）を大草原に向けて射ち、その矢を取って来るように言いました。しかし大己貴神がその草原に入るとすぐに須佐之男命は火を放ち、草原を焼いてしまいます。大己貴神が出口を失うと、鼠が来て、「内はほらほら、外はすぶすぶ」と言ってきました。そう言われたところを踏みしめると、穴に落ちて、火は焼け過ぎていきました。さらに鼠は、鏑矢を咥（くわ）えて持ってきてくれました。

すでに死んだと思って須佐之男命が草原に立つと、大己貴神が矢を持ってきました。

そこで小屋に引き入れて、自分の頭のシラミを取るように言いました。しかしその頭にいたのは百足の群れでした。須勢理毘売が木の実と赤土を夫に渡すと、大己貴神はその実と赤土を口に含んで吐き出します。それを見た須佐之男命は「かわいいやつめ」と思って、寝てしまいました。そこで大己貴神は、小屋の垂木ごとに須佐之男命の髪を結びつけて、大岩で部屋の戸を塞ぎ、須勢理毘売を背負い、須佐之男命の太刀と弓矢と琴を持って逃げ去りました。しかし、琴が木の枝に引っかかって地が揺れるような音が鳴ってしまいます。

これに驚いた須佐之男命が起き上がってその小屋ごと引き倒しましたが、垂木が解けない間に遠くに逃げられてしまいました。須佐之男命が黄泉比良坂（よもつひらさか）まできて遠くの大己貴神を望むと、彼を呼んで「お前が持つ、太刀、弓矢をもって兄どもを追い伏せよ。そしてお前が『大国主神（おおくにぬしのかみ）』となって娘の須勢理毘売を妻とし、立派な宮殿に住むのだ。こいつめ！」と言いました。

こうして八十神を追い払った大己貴神は大国主神となり、はじめて国を造りました。そして、約束の通り八上比売を娶りました。

［解説］ ここでは八岐大蛇を倒したスサノオと、兎を救ったオオナムチの夢の共演が実現します。また、娘が恋をした男を散々いびるという、スサノオの器の狭さが露（あら）わになります。

日本神話 豆知識

「誓約（うけい）」とは、古代日本の占いで、何か出来事の前にふたつの結果を宣言し、後で宣言通りになったのか、ならなかったのかで、吉凶や正邪、成否を判断するものである。

出雲に伝わる２つの黄泉比良坂

イザナギが黄泉の国から帰った時、黄泉への出入口を塞いだのは、揖屋の黄泉比良坂、オオナムチがスセリビメを連れて逃げたのは猪目（いのめ）洞窟という地域伝承がある。また『出雲風土記』には、猪目洞窟は古くから黄泉の坂とされ、夢で猪目洞窟を見た者は必ず死ぬ、と書かれている。

猪目洞窟

揖屋の黄泉比良坂

一般的には、スサノオの修行によって「国の主」となるオオクニヌシに成長する物語として描かれますが、オオナムチは一切自分の力で試練を乗り越えていません。さらにオオクニヌシの名をもらった後はすぐ、他の女性を招き入れ、日本各地を歩き回り、各地の美人と関係を結んでいき、１８０柱もの子をもうけます。

「因幡の白兎」のあの心優しい少年が、まさかこんなプレイボーイに成長するとは、誰が想像したでしょうか。さらに国造りにおいてもスクナビコナやオオモノヌシと共に進め、一柱では何もやりません。何でも一柱でやろうとしたアマテラスやスサノオとは全く性格が違います。しかし、アマテラスの時は全てを一柱で抱え込んでしまったことで、天岩屋戸に籠るほどの大事件が起きてしまいました。天岩屋戸を出た後は八百万の神々の意見を聞くようになっています。オオクニヌシは一見頼りなさそうにも感じますが、「国の主」として必要な能力は、「人に愛され、支えたいと思われること」「みんなの意見を聞けること」という価値観があったのかもしれません。多くの神々の助けによって、オオクニヌシは葦原の中つ国をより良い国にしました。

物語捌　国譲り

［訳］天照大御神は、「葦原の水穂国（みずほのくに）は、私の御子の正勝吾勝勝速日天忍穂耳命（まさかつあかつかちはやひあめのおしほみみのみこと）が治めるべき国です」と言いました。その命令によって、天忍穂耳命が天浮橋に立つと「水穂国はひどく騒がしい」と言って、天照大御神に報告しました。そこで次男の天菩比（あめのほひ）神（かみ）を降ろすことにしました。しかし天菩比神は大国主神に媚びて、三年も報告がありませんでした。そこで天若日子（あめわかひこ）を派遣しました。天若日子には天之麻迦古弓（あめのまかこゆみ）、天之波波矢（あめのははや）を持たせました。しかし、天若日子は大国主神の娘である下照比売（したてるひめ）を娶って、水穂国を得ようと考えました。八年も連絡がなかったので、天若日子に事情を聞くため鳴女（なきめ）を遣わしました。しかし、天若日子は天佐具売（あめのさぐめ）の助言を聞いて、鳴女を天之波波矢で射ってしまいました。その血がついた矢が高天原の天照大御神と高木神（たかぎのかみ）のところ

日本神話 豆知識

タケミカヅチとタケミナカタの戦いは、相撲など格闘技の起源とされており（人代では蹴速と宿禰の戦い）、今でも柔道や空手の道場の神棚にタケミカヅチ（鹿島神）が祀られていることがある。

まで戻ってきたので、高木神は誓約をして、「もし天若日子に裏切りの心があるのなら、この矢によって不幸になれ」と言い、矢を射返しました。するとその矢は、寝ていた天若日子の胸に当たって死んでしまいました。

次は天鳥船神(あめのとりふねのかみ)を従えた建御雷之男神(たけみかづちのおのかみ)を派遣しました。二柱の神が稲佐(いなさ)の浜に降り立つと、建御雷之男神は波打ち際に剣を逆さに刺して、その剣先にあぐらをかきました。そして大国主神に問いかけます。「お前が占領(せんりょう)している葦原の中つ国は、天照大御神の御子が治める国である。お前はどう考えているのか」すると大国主神は、「僕では判断ができません。息子の八重事代主神(やえことしろぬしのかみ)に聞きましょう。しかし、鳥を狩ったり、魚を釣ったり、美保(みほ)の先まで行ってしまってまだ帰ってきません」と言いました。そこで天鳥船神を遣わして、八重事代主神を捕まえてくると、彼は父に「恐れ多い。この国は天津神の御子に奉ります」と言って、隠れてしまいました。「お前の子はこう言ったぞ。他に意見を聞く子はあるか」と聞くと、「息子の建御名方神(たけみなかたのかみ)がいます。他にはいません」と言いました。すると、建御名方神が千引の大岩を指先で持って現れました。「我が国に来て、こそこそと物を言う奴は誰だ。力比べだ。自分が先に手を取ろう」と言って、建御雷之男神の手を取ろうとすると、つららや鋭い剣になって取れませんでした。お返しに建御名方神の手を取ると、若草のように掴まれて投げられてしまい、すぐに逃げ出しました。諏訪まで追われた建御名方神は、「私を殺さないでください。私はこの地から出ません。父や事代主に従い、葦原の中つ国は天津神の御子の仰せのままに献上いたします」と言いました。建御名方神は大国主神に「お前の息子たちはそう言った。お前の心はどうなんだ」と聞きました。「僕も息子たちと同じ意見です。葦原の中つ国は仰せのままに献上しましょう。ただ、僕の住む場所は天津神の御子が住むような豪華な宮殿にしてください。そうすれば、僕は出雲の端に隠れ住みましょう。子どもたちも違えることなく、みんなでお仕えしますよ」と答えて、建御雷之男神をもてなしました。

こうして建御雷之男神は高天原に帰ると、葦原の中つ国での説得に成功し、平和が訪れたことを報告しました。

［解説］ここでは有名な神社の由緒が多く出てきます。オオクニヌシが隠居した出雲大社は、縁結びの神社として今でも高い人気があります。古代の出雲大社はオオクニヌシの要望通り、15階建ての高さに相当する48メートルの高層神殿が建っていたといわれています。そんなものは古代の技術で到底不可能な建築だと考えられていたため長い間、伝説とされてきました。

ところが平成12年、出雲大社の正殿の目の前から太い柱を3本束ねた直径3メートルの

日本神話伝承地

出雲大社のしめ縄は他の神社と左右逆に張られる。オオクニヌシの呪いを封じ込めるためだという都市伝説があるが、実際は他の神社と尊いとする左右が逆だからで、しめ縄もお供え物も逆になる。

葦原の中つ国の高層神殿

葦原の中つ国は
献上しますから、
僕の住む場所は天津神の御子が
住むような豪華な宮殿に
してくださいね！
オオクニヌシ

オオクニヌシの希望により、
出雲に建っていたという48mもの高層神殿。
15階建ての高さに相当する。

巨大柱が発掘されたことで、ただの伝説ではなかったことがわかりました。他にも諏訪（すわ）大社（たいしゃ）や美保（みほ）神社など、有名な神社の由緒となる神話がここに描かれています。

なお「豊葦原の水穂国」は葦原の中つ国の美称です。今も日本を水穂国と呼ぶことがあります。

ところで、なぜオオクニヌシは国を譲らなければならなかったのでしょうか。前に述べた通り、天津神は特別な神様です。天津神の中でも高天原の最高神の御子であれば、争いが起きないと考えられていたのです。そのため、平定する時は「言向（ことむ）け和平（やわ）す」という言葉を使います。「説得して和平に導く」という意味です。アメノホヒもアメワカヒコも失敗して、武神のタケミカヅチが遣わされたにもかかわらず、すぐに攻撃することなく「お前はどう考えているのか」と意見を聞いているところが、話し合いでの解決を重んじる、日本らしい神話といえるでしょう。

これは「うしはく国」「知らす国」という言葉にも現れています。「うしはく」も「知らす」も今では意味を失ってしまった言葉のため、前後の文章の流れでの判断にはなりますが、オオクニヌシは葦原の中つ国を「うしはく」していました。これは「支配」という意味が近いです。対して、アマテラスの御子が「知らす」べき国は、ルールを周知させる役割を担うので、「管理」という意味が近いでしょう。つまり日本は、支配によって強制的に統治されるのではなく、天津神の御子の管理によってルールを共有し平和を保つ国だということをタケミカヅチは主張しているのです。

このように、国譲り神話では、アマテラスの御子である天皇がなぜこの国を治めているのかが、丁寧に描かれています。

物語玖 天孫降臨

[訳] 天照大御神は日嗣（ひつぎ）の御子（皇太子（こうたいし））である天忍穂耳命（あめのおしほみみのみこと）に「先ほど、葦原の中つ国は説得を終えて平和になったとの報告がありました。ですので天命の通りに天を降

日本神話ギモンと考察

“言向け和平す”は「服従させる」「征服する」と訳すのが一般的なのだが、納得できない。「言葉を向けて、和平に促す」という意味の文字がなぜ服従になるのか。翻訳者の想像ではないのか疑問だ。

りて、国を治めなさい」と伝えました。すると天忍穂耳命は、「私が降りようと準備をしている間に、子どもが生まれました。名前は天邇岐志国邇岐志天津日高日子番能邇々芸命です。この子を降ろしましょう」と言いました。そして邇々芸命に、「この豊葦原水穂国はあなたが治める国だと仰せつかった。だから、天命のままに降りなさい」と伝えました。

こうして邇々芸命が降りる時、八尺勾璁、鏡、草那芸剣を持たせて「この鏡は私の御魂として私のように祀りなさい」と伝えました。邇々芸命は天を離れるとお供を従え、八重に重なる雲を押し分け、多くの道を掻き分け、天浮橋の上に立ちました。

そして筑紫国の日向の高千穂へ天降りしました。ここで邇々芸命は「この土地は韓国に向かい、ようやく探し着いた笠沙の岬、朝日が直に射して夕日の光も照る国です。だからここは、とても良いところです」と言って、宮殿を建てて住みました。

[解説] アマテラスの孫、つまり「天孫」が葦原の中つ国に「降臨」するシンプルな神話です。元々は息子のアメノオシホミミが天降る予定でしたが、準備の間に息子ができたことを理由に、その子に重要な役目を譲りました。ニニギがどれほど幼かったかはわかりませんが、アメノホアカリという兄がいることから、より若く生命力に満ちた神様を、葦原の中つ国に降ろすことを決めたのでしょう。また、跡取り息子というと長男が思い浮かぶか

もしれませんが、これは武家社会になってからの考え方で、古代では、末の息子が後を継ぐケースが多くありました。

しかしそれにしても、ニニギの名前が長すぎますね。この名前には、**天邇岐志→天を慈しみ、国邇岐志→国を慈しみ、天津→天の、日高→日の高いところの、日子→日の御子、番能→稲穂の、邇々芸→にぎにぎ（ぎっしり）実る**。という意味が込められています。親の期待がぎっしりつまっていますが、要は豊穣の神です。

さらに、ここで「三種の神器」が出てきました。八尺勾璁、鏡、草那芸剣です。八尺瓊勾璁（やさかにのまがたま）、八咫鏡（やたのかがみ）、草薙剣（くさなぎのつるぎ）という方が、馴染みがあるかもしれません。「瓊（に）」は美しい、もしくは赤いという意味で、「八咫」は大きなという意味です。ちなみに、草薙剣はヤマトタケルの章で名付けられているので、ここですでに草薙剣と呼ばれていることは本来おかしいのですが、それだけ定着した名前だったのでしょう。今では、八尺瓊勾璁が皇居、八咫鏡が伊勢の神宮、草薙剣が熱田（あつた）神宮に祀られています。神話の時代から伝わる神器が今も伝わっているとはロマンがあります。

また、韓国（からくに）については朝鮮ではなく、空国・高天原という説もありますが、素直に朝鮮半島と訳した方が自然でしょう。しかし朝鮮半島に向かうなら、佐賀や福岡から見ればいいものを、鹿児島の南薩摩にある笠沙の岬から向かい合っています。伝承地が間違ってい

日本神話 ギモンと考察

『日本書紀』によれば草薙剣を身体に秘めた八岐大蛇の上には、常に叢雲（むらくも）が漂っていた。さらに天智天皇の御代、僧侶が草薙剣を盗み新羅に逃げようとすると、暴風雨に見舞われて失敗したそうだ。

るという説もありますが、九州南部の神話だと考えると、違和感なく読めます。大和朝廷がようやく体系化した時代に編纂されたのに、淡路島から出雲、日向と、幅広い地域を網羅して神話が残っていることがまた面白いところです。

物語拾 海幸彦と山幸彦

[訳] 邇々芸命の長男である海幸彦は釣りの達人で、三男の山幸彦は狩りの達人でした。ある日、山幸彦は兄の海幸彦に、「それぞれの道具を交換して使おう」と誘いました。海幸彦は三度頼んでも聞いてくれませんでしたが、少しの間だけならと交換してもらいました。しかし、山幸彦が海に出ても全く魚が釣れません。さらに、その釣り針を海中に失くしてしまったのです。海幸彦は怒って、返せと言いました。そこで山幸彦は自分の剣を溶かして五百もの針を作って謝りましたが受け取ってもらえず、次は千の針を作って謝りましたが受け取ってもらえず「元の針が欲しいんだ」と言われてしまいました。

山幸彦が悲しくて海辺で泣いていると、塩椎神が来て「なぜ泣いているのですか？」と聞いてきました。山幸彦が事情を話すと、塩椎神は小舟を作って山幸彦をその舟に乗せ、「私がこの舟を押し流せば、魚の鱗のように作られた宮殿に着きます。

綿津見神の宮です。その傍らにある井戸の上に桂の木があるので、その木の上から綿津見神の娘に相談しなさい」と言いました。山幸彦が言われたとおりにすると、娘の豊玉毘売命が出てきてお互い一目ぼれをしました。豊玉毘売命は、父の綿津見神に「門のところに麗しい方がいらっしゃいます」と伝えます。すると綿津見神が宮殿から出てきて「あなたは天津神の御子ではありませんか」と言って宮殿の中に引き入れ、豊玉毘売命と結婚させせました。

それから山幸彦は三年間その国に住みましたが、兄の針のことを思い出して大きなため息をつきました。心配した綿津見神が理由を聞くと、山幸彦は事情を説明しました。綿津見神は大小様々な魚を呼び集めて、「針を取った魚はいないか」と聞きました。すると、もろもろの魚が「最近、鯛が『のどに魚の骨が刺さった』と言って、食事がままならないと嘆いていました。きっとこれでしょう」と伝えました。そこで鯛ののどを探ってみると、その針がありました。すぐに取り出して清めると、綿津見神は山幸彦に針を渡して「この針をあなたの兄に返す時、呪いの言葉を唱えて後手に渡しなさい。そして、兄が高いところで田んぼを作ったらあなたは、低いところで、逆なら逆の場所に田んぼを作りなさい。そうすれば、三年であなたの兄は貧しくなります」と言いました。さらに二つの玉を取り出すと、「もし兄があなたを恨んで戦うこ

日本神話ギモンと考察

シオツチノカミは道しるべを示す重要な神で、山幸彦のみではなく、その孫のイワレビコ（神武天皇）にも「東に良い土地がある」と案内をしている。潮流からの連想で、航路も司る神なのだろう。

山幸彦と海幸彦の兄弟喧嘩

山幸彦

海幸彦

それぞれの道具を交換して使おうよ

しつこいな。少しの間だけだぞ

〈山幸彦が海幸彦の釣り糸をなくす〉

なんてこった!なくした釣り糸を返せ!

見つからないんだ。量産したので許してよ

いいや、元の針が欲しいんだ!

どうしたらいいんだ…しくしく…

〈山幸彦は海の国に誘われ、針を見つけてもらう。呪いの言葉を教えてもらい、ふたつの宝珠を授かる〉

針を返すよ（呪いの言葉を吐く）

僕に何かしたな?貧しくなるばかりだ!

〈山幸彦はふたつの宝珠を使って海幸彦をこらしめる〉

降参するよ、あなたの守護人となって仕えます

とになったら塩盈珠（しおみつたま）で溺れさせて、降参したら塩乾珠（しおふるたま）で救って、こらしめてやりなさい」と言って渡しました。

こうして山幸彦が陸に帰ると、綿津見神から言われた通りに呪いをかけて兄の海幸彦に針を返しました。するとそれから徐々に兄は貧しくなり、怒って迫ってきました。山幸彦が塩盈珠で海幸彦を溺れさせると、苦しみ土下座して「僕は今後、あなたの守護人（まもりびと）となって仕えましょう」謝ったので、塩乾珠で救い出しました。

［解説］ 海幸彦・山幸彦の神話は、浦嶋子（亀と結婚した男の話）の伝説と共に、浦島太郎の元ネタとなったとされています。塩盈珠と塩乾珠という神器によって、海水

を出したり引いたりできる様は、まさにファンタジー世界のようです。陸にいながら溺れる海幸彦の姿を思い浮かべると、思わず兄の方を応援したくなります。海幸彦は九州の隼人(はやと)族の先祖とされています。隼人族は戦闘技術に長けた民族で、呪術も使ったといいます。海幸彦と山幸彦の神話は古事記の中でも呪術的な要素が多いので、隼人の文化が反映されているのかもしれません。また、隼人族は海幸彦が山幸彦にやられた時の様子を舞で伝えてきたそうです。この時の舞とは変わっているでしょうが、現代でも九州で隼人舞は受け継がれています。

自分が針を失くしたのに兄を懲(こ)らしめるという、あまり印象のよくない山幸彦ですが、原文にはしっかり「甚麗壮夫（→とても麗しい男）」との記載があるので、容姿は良かったようです。

そしてタマヨリビメとの間に生まれたウガヤフスキアエズと、父の山幸彦（ホオリ）、祖父のニニギとを合わせた三柱が、日向三代と呼ばれている神様です。天孫降臨からカムヤマトイワレビコの誕生までが日向神話として括られます。ウガヤフスキアエズには特に実績がありませんが、息子4兄弟の末っ子、初代天皇となるカムヤマトイワレビコが生まれたことで、『古事記』の上巻は締めくくられ、神代から人代へ移り変わっていきます。

日本神話ギモンと考察

日本の神々は成長とともに、名前が変わったり増えたりする。特にオオクニヌシは名前が多い。オオナムチ、ヤチホコ、アシハラノシコオ、キヅキノオオカミなどなど。複数人いたからという説も。

第2章

日本神話の神々

神世七代、三貴子、天津神、国津神……個性豊かな神様たち

日本の神々の種族と相関関係

八百万の神様たち

日本の神々は数が非常に多いので、以下のカテゴリーに分類して神話の大まかな流れと共に紹介します。

◆「**別天津神**（ことあまつかみ）」…宇宙や世界のはじまりと共に登場する、五柱の創世の神々です。宇宙や世界の発生を象徴しています。はじまりの神々である五柱を特別に「別天津神」といいます。その中でも3番目までに成った神を「造化三神（ぞうかのさんじん）」といいます。

◆「**神世七代**（かみのよななよ）」…世界が形作られていく過程で自然発生した七柱の神々です。その末に生まれたイザナギとイザナミは夫婦神として、多くの神と共に日本の国土を生み出しました。

◆「**イザナギ・イザナミの子**」…夫婦神の間に生まれた神々です。有名なオオワタツミや、オオヤマツミなど、多くの神々が生まれました。

◆「**三貴子**」…イザナギが最後に産んだ三柱です。アマテラス、ツクヨミ、スサノオを指し、昼の太陽、夜の月を統（す）べる神様が生まれたことで、昼と夜が別れました。スサノオについては根の国や海の国を治める表現があるため、死後の世界を示した神ともいわれます。

日本神話 豆知識

神道の背景にはアニミズムがある。自然の木や岩、山などに神霊（しんれい）が宿ると考えられ、神社が誕生する前からこれらの自然物が崇められていた。「人智を超えるすごいものは全て神」とする文化である。

いずれにしろ、世界の基礎となる神々であることがわかります。

◆**「天津神」「国津神」**…「天津神」は天上界・高天原に住む神々を指し、天の秩序や自然の力を司るとされています。一方「国津神」は、地上界・葦原の中つ国に生まれ育った神々で、山や海など日本の国土や自然に関わる神々が多くいます。時代が進むと、地域に関連する人々も国津神として登場します。国津神の方が我々人間と距離感が近く、地域の自然や風土と深く関わる神々といえるでしょう。

◆**「日向(ひゅうが)三代」**…ニニギが地上に降り、地上界が統一されていき、ニニギ以降に日向(現在の宮崎県)を治めた三柱の神々の呼び名です。ニニギ、ホオリ、ウガヤフキアエズを指します。この三柱は、天孫降臨から神武東征の時代に活躍し、皇室の先祖が日向にいた時期を表しています。

◆**「人代の神」「神社が有名な神様」**…「人代の神」と「神社が有名な神様」は、記紀神話の中でも人代に出てくる、神武天皇やヤマトタケル。記紀神話ではマイナーですが、神社が有名な、八幡宮、稲荷神社などに祀られている神様、また記紀神話の後の世に、多くの信仰を集めた、天満宮(てんまんぐう)の菅原道真(すがわらのみちざね)や日光東照宮(にっこうとうしょうぐう)の徳川家康(とくがわいえやす)などをご紹介します。

では早速、それぞれの神々について詳しい解説を見ていきましょう。

天之御中主神

アメノミナカヌシノカミ

Profile Data

出身
高天原
性別
独神
別名
天御中主尊
妙見菩薩
水天さん
属性
別天津神
造化三神
御神徳
安産
長寿
招福など
祀られている神社
水天宮など

宇宙を司る別天津神

『古事記』の中で最初に生まれた、性別のない独神です。「天の中心となる主の神」という意味を持ち、別天津神の中でも「造化三神」の一柱とされるアメノミナカヌシは、最高神と呼ぶに相応しい存在といえるでしょう。しかし、残念ながら彼が登場するエピソードは、ほとんどありません。加えて『日本書紀』の本文には、その名前は記されておらず、謎に満ちた神様なのです。とはいえ、アメノミナカヌシの誕生が天上界の誕生と密接に関連していることは確かで、これが「宇宙の神」と称される所以となっています。

東京日本橋にある水天宮は、アメノミナカヌシを祀り、安産のご利益で知られています。江戸時代に、ある妊婦さんが水天宮の賽銭箱の上の鈴に結ばれている紐をもらい、それを腹巻きにしたところ、無事に安産を迎えました。これがきっかけで、大変な人気となり、今でも戌の日には参拝者で長蛇の列になります。余談にはなりますが、筆者も水天宮でご利益をいただき、超安産でした。

日本神話 豆知識
元々、祀る神社もなかったアメノミナカヌシだが、神仏習合によって北斗七星の神格化の「妙見菩薩」と習合されたことで、信仰が広がった。現在は、安産で有名な水天宮の主祭神として人気だ。

高御産巣日神

タカミムスヒノカミ

Profile Data

出身
高天原

性別
独神

別名
高皇産霊尊
高木神

属性
別天津神
造化三神

御神徳
縁結び
開運招福
厄除けなど

祀られている神社
宇奈多理坐高御魂神社など

自然を司る別天津神

「高い所（天上界）で生す（生成）日の神」という意味を持つ、別天津神にして「造化三神」の一柱。別名、高木神とも呼ばれていることから高い木の神という属性もあります。高天原で自然の生成がはじまったのでしょう。別天津神の中では出番が多く、アマテラスの補佐役や、神武天皇の案内役として出てきます。

別天津神

神産巣日神

カムムスヒノカミ

Profile Data

出身
高天原

性別
独神

別名
神皇産霊尊
神魂命

属性
別天津神
造化三神

御神徳
縁結び
開運招福
安産など

祀られている神社
東京大神宮など

生命を司る別天津神

神々を生す（生成）日の神。別天津神にして「造化三神」の一柱。高天原で神々をはじめ生物の生成がはじまったことを表します。アメノミナカヌシによって世界・空間が生まれ、タカミムスヒによって自然の生成がはじまり、カムムスヒによって生命の生成がはじまったと考え、この三柱を「造化三神」と呼びます。

宇摩志阿斯訶備比古遅神

ウマシアシカビヒコヂノカミ

Profile Data

出身
高天原

性別
独神

別名
可美葦芽彦舅尊

属性
別天津神

御神徳
雨乞い・雨止め
開運招福
安産など

祀られている神社
浮嶋神社など

命の芽吹きを表す別天津神

「上手し」の語源で「良いもの」という意味の神様。阿斯訶備は水辺に生息するヨシ（古称：葦）が芽吹く様子。比古遅には男性という意味がありますが、独神なので性別はありません。ウマシアシカビヒコヂは命の芽吹きを表しています。また、人のことを「青人草」と呼ぶことから、人の誕生を表すともされます。

別天津神

天之常立神

アメノトコタチノカミ

Profile Data

出身
高天原

性別
独神

別名
天之常立尊

属性
別天津神

御神徳
必勝祈願
交通安全

祀られている神社
出雲大社
駒形神社
胸形神社
など

天上界の独立を表す別天津神

天が常に成立（独立）した状態になったことを表す神様です。対として、地上界の成立を表すクニノトコタチがいますが、アメノトコタチのみが別天津神とされており、クニノトコタチからは「神世七代」として区別されています。クニノトコタチ以降に誕生した神は、地上界に関わりの深い神々といえます。

日本神話 豆知識

造化三神の中で活躍する神は、タカミムスヒとカムムスヒの二柱のみ。序章部分では神様の名前によって自然や生命が誕生する様子が描かれているので、名前を読み解くことが重要である。

日本神話における世界のはじまり

宇宙や世界のはじまりと共に「別天津神」が登場する。日本の神々は世界を創造するのではなく、世界の成長を表すように成るのが特徴。

神世七代の時代へ

神世七代

国之常立神

クニノトコタチノカミ

Profile Data

出身
高天原

性別
独神

別名
国常立尊
国底立尊

属性
天津神
神世七代

御神徳
御神徳
国土平穏
心願成就
厄除けなど

祀られている神社
加波山神社
御岩神社
蘇羽鷹神社
恵比寿神社など

地上界である、**葦原の中つ国の成立（独立）を表した神様**です。実は『日本書紀』の本文では、最初に生まれてくる重要な神様です。

神世七代

豊雲野神

トヨクモノノカミ

Profile Data

出身
高天原

性別
独神

別名
豊斟渟尊
豊組野尊

属性
天津神
神世七代

御神徳
雨乞い
雨止め
心願成就
など

祀られている神社
埜神社
荒橿神社
恵比寿神社
など

高天原と葦原の中つ国が別れたことを表す**雲の神様**です。雲の上に高天原があり、地上界との境界線が雲だったと考えられます。

宇比地邇神 須比智邇神

ウヒヂニノカミ
スヒヂニノカミ

Profile Data

出身
高天原

性別
夫婦神

別名
泥土煮尊
沙土煮尊

属性
天津神
神世七代

御神徳
夫婦円満
国土平穏
五穀豊穣
など

祀られている神社
沙田神社
熊野速玉大社
宮浦宮
など

泥の夫婦神。はじめての男女対の神が生まれました。地上が泥のように形づいてきたことを表します。

日本神話伝承地

オモダルは「面が足りる」、顔がいい神とされる。祀っている神社は少ないが、原宿の隠田（おんでん）神社にオモダルとアヤカシコネが祀られている。イケメンと褒め上手の夫婦神。原宿の地にピッタリである。

神世七代

角杙神（ツヌグイノカミ）
活杙神（イクグイノカミ）

Profile Data

出身：高天原
性別：夫婦神
別名：角杙尊、活杙尊
属性：天津神、神世七代
御神徳：工事安全、厄除け、夫婦円満など
祀られている神社：宮浦宮、恵比寿神社など

杭（くい）の夫婦神。地上に杭が刺せるようになったことや生活のはじまり、あるいは男性器の成立を表します。

意富斗能地神（オオトノヂノカミ）
大斗乃弁神（オオトノベノカミ）

Profile Data

出身：高天原
性別：夫婦神
別名：大戸之道尊、大戸之部尊
属性：天津神、神世七代
御神徳：工事安全、厄除け、夫婦円満など
祀られている神社：熊野速玉大社、宮浦宮、恵比寿神社など

戸の夫婦神。戸の設置によって家が完成できたこと、あるいは女性器の成立を表しています。

神世七代

於母陀流神（オモダルノカミ）
阿夜訶志古泥神（アヤカシコネノカミ）

Profile Data

出身：高天原
性別：夫婦神
別名：面足尊、惶根尊、吾屋惶城根尊
属性：天津神、神世七代
御神徳：美容、芸術上達など
祀られている神社：稲田神社、近津神社など

形（人体）の完成を表す夫神と、それを喜ぶ妻神。面（顔）や思い（感情）が完成し喜んでいます。

伊邪那岐神　伊邪那美神

イザナギノカミ　イザナミノカミ

男女の形の成立を受けて「誘う」夫婦神

まずはイザナギについてです。イザナは「誘い」、キは男性を表します。現代ではイザナギと呼ばれることが多いですが、『古事記』においてはイザナキ（岐）と清音で表記されています。二柱の名前は「凪」と「波」を連想させ、海とも関わりの深い神様です。

誘う神であるイザナギは、妻のイザナミに対して「あなたの身体はどう成ったのか」という、変わった誘い方をしました。日本で初めての夫婦が手探りで子どもを成す様子がうかがい知れます。イザナミが亡くなると、原因となった息子のヒノカグツチを斬ってしまうほど妻への愛は深いものでした。しかしそんなイザナギが黄泉の国では腐った妻を見て一目散に逃げ出してしまいます。どんなに愛していても、亡くなった人の後は追ってはいけないという教訓でしょう。三貴子を産んだイザナギは、淡海の多賀へ隠居しました。ただ、『日本書紀』では淡路の洲との記述があり、滋賀県の多賀大社と兵庫県の伊弉諾神宮の双方に伝承が残っています。

Profile Data

出身
高天原

性別
夫婦神

別名
伊邪那伎大神
黄泉津大神
道敷大神

属性
天津神
神世七代

御神徳
夫婦円満
子孫繁栄など

祀られている神社
多賀大社
伊弉諾神宮
比婆山久米神社
など

日本神話伝承地

イザナギとイザナミがアメノヌボコを降ろした淡路島の近くには鳴門海峡があり、今も巨大な渦潮を見ることができる。クルーザーで近くまで行けるので、ぜひ壮大なこおろこおろを体感してほしい。

勾玉：御倉板挙之神
勾玉が神格化した神。後にアマテラスに受け継がれた。
矛：天沼矛
地上を固める神力を持つ矛。海に挿して引き上げたことで、潮が固まりオノゴロ島ができた。
雲：天浮橋
高天原と葦原の中つ国をつなぐ橋。形は分かっていない。雲、虹、木造などの説がある。

続いてイザナミの、イザナは「誘い」、ミは女性を表すとされます。二柱を合わせて「誘い合う神」となります。二柱の婚姻の儀式の際にはイザナミから「あなにやし、えをとこを（あら、なんていい男なの）」と声をかけており、彼女の積極的な一面が見られます。しかし女性から声をかけたことが原因で、イザナミは2度も出産の失敗（流産との見方も）を経験することになりました。そこで別天津神にアドバイスをもらい、イザナギから声をかけるように婚姻の儀式をやり直したところ、多くの島々と神々を産めました。流産は現代でも15％ほどの確率で起こる自然現象ですので、日本ではじめての夫婦が出産に失敗し、アドバイスを元に多くの神々を産むことができた神話は、長い歴史の中で多くの夫婦の励ましになったことでしょう。また、イザナミが出産によって亡くなったことは、出産の死亡リスクも暗示しています。最終的にイザナミは、黄泉津大神（よもつおおかみ）として死を象徴する神となりますが、こうした神話から、女性からの好意や支持を受けやすい神といえるでしょう。

イザナギとイザナミの神話は序盤ですので、どうしたら子を成せるのか、なぜ人は生まれてくるのか、なぜ人には寿命があるのか、なぜ死者を追ってはいけないのか、といった死生観に深く関わる神話が綴（つづ）られています。日本の国土を生み、人々に営（いとな）みを示した二柱は、まさに日本の父母といえるでしょう。

日本神話ギモンと考察

勾玉は胎児を模（かたど）ったものという説がある。勾玉の出土は縄文時代まで遡り、当時の流産率を考えれば勾玉の形をした胎児を目にする機会は現代より多かったはずだ。子孫繁栄の祈りが想像できる。

イザナギ・イザナミのちょっとイイ話

イザナギとイザナミは近親婚じゃないの!?

意外かもしれないが、古代においても近親婚は犯罪だった。日本の歴史上で実際に兄妹婚があったので、理解が難しいかもしれないが、当時の兄妹婚には一定のルールがある

古代は一夫多妻制だったため、異母兄妹は近親婚と認識されていなかったのだ。つまり父親が同じ兄妹でも、母親さえ違っていれば近親婚には当たらないと考えられていた。記紀の中でも同母兄妹の婚姻は犯罪として描かれている。当然ながら父娘の婚姻も犯罪だ。

兄妹婚の話が出たときは同母兄妹か異母兄弟かを確認すると、通常の婚姻か犯罪行為かがわかる。ここを意識して読むと、古代伝承の理解度が増すだろう。

ではイザナギとイザナミはどうかというと、同じタイミングで生まれてきたという意味では兄妹といえるものの、近親婚の条件を満たしていない。「イザナミはイザナギの妹(いも)」と記されていることが、近親婚の根拠なのだが、古代において「妹」は「妻」や「愛しい人」を表す場面で用いられるので、英語の「Honey」がニュアンスとしては一番近い。

また、イザナギとイザナミの間に生まれた兄妹が夫婦になる例もあるのだが、ここでは「持ち分けて(手分けして)」子どもを産んだとしている。性行為を示す動詞を用いていないことからも、語り部や編纂者が近親婚をしっかり犯罪と認識していたことがうかがえる。

大綿津見神

オオワタツミノカミ

山幸彦に力を貸した海の神様

オオワタツミは海の神様です。イザナギとイザナミが産んだオオワタツミは有名ですが、イザナギの禊(みそぎ)でもソコツワタツミ、ナカツワタツミ、ウワワタツミが生まれており、「ワタツミ」は広く海神のことを指します。万葉集では、海をワタと読むことから、「ワタ」自体が海という意味だったと考えられます。「海」と「綿」の違いは失われてしまいましたが、当時は海というと、湖や広い川も含まれていました。対する綿は「渡」とも繋がり、海路の神を「渡の神」と呼ぶことから、現代の「海」と同じ意味だったのでしょう。

オオワタツミは海神のトップで、海の支配者といえますが、先に語った海幸彦と山幸彦の神話では、婿を贔屓(ひいき)する、大人げない一面がうかがえて可愛らしいです。オオワタツミの住む綿津見の宮は、鱗のように作られた宮と表現され、竜宮城のモデルとされます。海神も鳥も魚も共に住んでいる海の国は、想像力を掻き立てられます。また、トヨタマビメの本来の姿が鮫だったことから、オオワタツミも鮫の姿を持つかもしれません。

Profile Data

出身
葦原の中つ国

性別
男神

別名
海神豊玉彦
少童命

属性
国津神
海神

御神徳
海上安全
大漁
など

祀られている神社
志賀海神社
綿津見神社
など

日本神話 豆知識

山幸彦を海の国から陸に送り届けた鮫はサイモチノカミという神だ。サイは刀剣という意味で、山幸彦が送迎のお礼に紐小刀(ひもがたな)を鮫に持たせたことが由来だが、鮫の鋭い歯を示した可能性も。

サメ：佐比持神
婿の山幸彦を陸へ送った神。山幸彦から、小刀をプレゼントされたことからこの名前がついた。
サメの尾
娘のトヨタマヒメが「サメ」を本来の姿としていることから、父親のオオワタツミの本来の姿もサメと考えられる。

大山津見神

オオヤマツミノカミ

Profile Data

出身
葦原の中つ国

性別
男神

別名
大山祇神

属性
国津神
山神

御神徳
鉱山業
山林業
安産・子授け
など

祀られている神社
大山祇神社
三島神社
山神社
など

娘を溺愛する山の神様

オオヤマツミは山の神様です。「ヤマツミ」という言葉も山神全般を表し、オオヤマツミの他にも、マサカヤマツミ、オドヤマツミなど多くの山神が存在します。オオヤマツミの子どもとして、クシナダヒメの両親であるアシナヅチとテナヅチ、サクヤビメとイワナガヒメなどがいます。八岐大蛇退治で出てくるアシナヅチとテナヅチは老夫婦として描かれ、サクヤビメ、イワナガヒメは若く、アマテラスの孫のニニギと同世代になるため、日本の神々は呪いを受けなければ不老不死なのでしょう。しかし、ニニギに嫁がせた娘のイワナガヒメが「醜いから」という理由で返されると、オオヤマツミは怒ってニニギの不死の力を奪いました。この事件から、神の子の天皇に寿命ができます。

また、京都府の梅宮大社（うめのみやたいしゃ）の社伝によれば、サクヤビメの出産の際、オオヤマツミは大変喜んで八百万の神々に酒をふるまったそうです。これが酒造りの起源とされ、酒解神（さけとけのかみ）という別名があります。娘を溺愛する父親像がうかがえますね。

日本神話豆知識

日本神話由来の銘柄は多い。焼酎の天孫降臨、天照、木花咲耶姫。日本酒のこをろこをろ、天の戸、戸隠、八重垣、稲田姫、やまたのおろち、八千矛、神渡、みむろ杉、八咫烏など。長屋王もおすすめ。

捨てられたヒルコ ちょっと贅沢な神になる

イザナギとイザナミは２度も出産に失敗している。１度目はヒルのようにうまく形にならないヒルコ、２度目は泡のようなアワシマだ。二柱はイザナギとイザナミの正式な子どもとして認められておらず、ヒルコは葦舟に乗せて海に流されてしまった。アワシマのその後については、記述すらない。イザナギとイザナミが子どもを捨てたとも読み取れるこの神話に、心を痛めた人が数多くいたのだろう。彼らの存在は後世の人々に多くの解釈を生ませた。

例えばアワシマはやがて粟島や淡島になったという伝承があり、和歌山県の淡島神社にも淡島神が祀られている。そしてヒルコも恵比須神になったという伝説があるのだ。

恵比須神は、異郷からの客神（まれびとがみ）として知られており、葦舟に乗せて流されたヒルコが再上陸して、神になったと考えられた。島国の日本では、古くから漂流物を御神体とする文化があったため、海に流されたヒルコも恵比須神として位置づけられたのだろう。今も海沿いには、多くの神社にヒルコ神が祀られている。「蛭子」という漢字が、「エビス」とも「ヒルコ」とも読めることからも、２柱の神が同一神として親しまれてきたことがうかがえる。

また、ヒルコを「昼子」とする解釈がある。これは「ヒルコ」の名が「昼」の意味を持つためだ。ヒルコはイザナミとイザナギの最初の子であり、太陽は宇宙のはじまりを示すことから、支持する人も多い。

火之迦具土神
ヒノカグツチノカミ

母イザナミを死なせてしまった火の神様

ヒノカグツチは火の神です。イザナミはヒノカグツチを産んだことで陰部に火傷を負い、それが原因で亡くなってしまいました。怒ったイザナギはヒノカグツチを殺してしまいます。ここで切った血や身体から製鉄に関わる神々が生まれてきたことから、ヒノカグツチの死によって、製鉄の技術を手に入れたのでしょう。

また、ヒノカグツチは男神とされますが、この時にヒノカグツチの「陰（女性器）」からも神が生まれていることから、女神という説もあります。「カグ」には、輝くや火が揺れるという意味、また「香」という意味もあるため、何かが燃えるときの匂いが表現されているのかもしれません。

今では防火や鎮火から発展して、エネルギーや工業の神としても親しまれています。愛宕神社や秋葉神社などに祀られており、秋葉原の名前の由来になった秋葉神社に、工業の神が祀られているとは、ご利益の存在を強く感じます。

Profile Data

出身
葦原の中つ国

性別
男神
（女神説もあり）

別名
軻遇突智
火産霊

属性
国津神
火神

御神徳
火災消除
安産・子授
など

祀られている神社
秋葉神社
愛宕神社
花窟神社
など

日本神話 豆知識

沖縄では火の神（ヒヌカン）を台所に祀る文化がある。ヒヌカンはかまどの神で、神道の月次祭（つきなみのまつり）同様、1日と15日は特別丁寧に拝む。「ウートートー」と唱えるのは、「とても尊い尊い」という意味。

ヒノカグツチの
血から成った神
剣を造る過程が
神格化したとされる。
石折神（イワサクノカミ）
根折神（ネサクノカミ）
石筒之男神（イワツツノオノカミ）
甕速日神（ミカハヤヒノカミ）
樋速日神（ヒハヤヒノカミ）
建御雷之男神（タケミカヅチノオノカミ）
闇淤加美神（クラオカミノカミ）
ヒノカグツチの
遺体から成った神
鉱石を手に入れるのに
山に入ることが
必要だったため、
山の神々が生まれたと
考えられている。
頭：正鹿山津見神（マサカヤマツミノカミ）
胸：淤縢山津見神（オドヤマツミノカミ）
腹：奥山津見神（オクヤマツミノカミ）
性器：闇山津見神（クラヤマツミノカミ）
左手：志藝山津見神（シギヤマツミノカミ）
右手：羽山津見神（ハヤマツミノカミ）
左足：原山津見神（ハラヤマツミノカミ）
右足：戸山津見神（トヤマツミノカミ）
イザナギがヒノカグツ
チを斬った剣の名前は、
天之尾羽張。

天照大御神
アマテラスオオミカミ

Profile Data

出身
日向の
阿波岐原

性別
女神

別名
大日孁貴神
天照皇大神

属性
天津神
太陽神

御神徳
国土安泰
子孫繁栄
五穀豊穣
など

祀られている神社
皇大神宮
（伊勢神宮）
神明神社
など

天を照らす太陽の神様

アマテラスは名前の通り、天を照らす偉大な太陽の神様です。イザナギが左目を清めたところから生まれました。別名を大日孁貴（おおひるめのむち）といい、偉大な太陽の女神様という意味となります。「日神（ひのかみ）」と呼ばれることもあります。稲作が盛んだった日本において太陽神の信仰は古くからあり、アマテラスの他にもタカミムスヒ、カムムスヒをはじめとした多くの日神が見られますが、イザナギから高天原を治めるように委任されたアマテラスが、中でも最高神の位置づけとなります。

アマテラスは最高神であることや、中国の陰陽（いんよう）思想では太陽が男になるなどの理由から、昔から男神説がありますが、オオヒルメの「メ」が女性を指すこと、スサノオがアマテラスを「姉」と呼んでいることから女神とされています。

『古事記』では自ら機織りをしたり、弟のスサノオの暴走を恐れて岩屋に籠る「天岩屋戸神話」など、神話にも女性らしさが見られます。

日本神話ギモンと考察
アマテラスのモデルは卑弥呼ではないかといわれるが、「卑弥呼」が日巫女やヒメミコ。「邪馬台」をヤマドや、ヤマティとなる可能性を考えると、大和の皇女（ひめみこ）が卑弥呼だったという説もわかる。

領巾
古代の女性が首から肩にかけていた薄く細長い布。呪力を持つものもある。
八尺瓊勾玉
岩戸隠れの際に、玉祖命（タマノオヤノミコト）が作った勾玉。「三種の神器」のうちのひとつ。

また、『日本書紀』の一書におけるアマテラスの三大神勅（しんちょく）は、神道において非常に尊ばれているので、覚えておくといいでしょう。「神勅」とは神様の命令や言いつけのことで、ここでは孫のニニギに伝えています。

ひとつ目は、天壌無窮（てんじょうむきゅう）の神勅です。「水穂の国（日本）は、私の孫のニニギが治める国です。天つ日嗣（ひつぎ）（天皇の血統）は天地と共に永遠に続いていくことでしょう」。

ふたつ目は、宝鏡奉斎（ほうきょうほうさい）の神勅です。「この鏡を見るときは私そのものだと思いなさい。常に寝食を共にし、神事の鏡とするのです」。

そして3つ目は、斎庭稲穂（ゆにわのいなほ）の神勅です。「高天原で作った神聖な田んぼの稲穂を、ニニギに授けましょう」というものです。

この三大神勅は、天皇、神社、稲作といった日本のアイデンティティの原点といえるのではないでしょうか。現在の皇室でも毎年稲刈りをしており、陛下が育てて刈った稲は、伊勢の神宮や皇室の神事で使われます。

そしてニニギが地上に降り、世代が移っていくのですが、アマテラスはたびたび登場します。イワレビコを心配して八咫烏を遣わしたり、引っ越しのため皇女と日本全国を歩き回ったり、食事係が欲しいと夢枕に出たり。アマテラスはマメな性格なのかもしれません。

日本神話 ギモンと考察

太陽神の蘇りは、死と再生を表すともいわれている。蘇りとは本来「黄泉返り」であり、イザナギが黄泉に行って生きて返ってきたことを由来とする言葉だ。ここから卑弥呼と壱与を連想する説もある。

Column アマテラスのちょっとイイ話

最強の自己啓発エピソード！
天岩屋戸神話

アマテラスの天岩屋戸神話には、自己啓発の原点を感じる。アマテラスは弟の悪行により天岩屋戸に身を隠すが、神々の対応や彼女の自己認識の変遷を見ると、現代を生きる私たちが直面する日常の課題や自己成長の過程と重なるのだ。

太陽神である彼女が天岩屋戸に隠れると、世界は暗闇に包まれ、混乱と絶望に覆われた。しかし、危機的状況にもかかわらず、神々が考えた作戦は、楽しい宴会を開いて彼女に見せつけることだった。この話からは、「困難な時こそ明るく、前向きに楽しもう」というメッセージが読み取れる。また、大切な人が落ち込んでしまった時の対応としても、「無理やり外に連れ出すよりも、さりげない方法で外が魅力的な場所だと伝えること。本人が自発的に動くことが大切」という、周りの取るべき行動のヒントとなっている。

さらに、アマテラスが外に引き寄せられ、鏡によって自分の魅力を再認識するエピソードには、自己啓発のエッセンスが詰まっている。アマテラスは弟の悪行を何度もフォローし、独りで全て抱え込む真面目な女性だった。自分が止めなかった弟の悪行により死者が出たことで恐怖を覚え、天岩屋戸に籠ったのだ。しかし、自信を失った状態で岩屋戸の外の様子をうかがったアマテラスは、鏡に映った自分の姿を「自分より尊い神がいる」と見間違えた。これこそ「あなたは自分が思っている以上に、特別で尊い存在なのだ」という自己肯定感を高める最強のメッセージではないだろうか。

月読命

ツクヨミノミコト

Profile Data

出身
日向の阿波岐原

性別
男神

別名
月弓尊
月夜見尊

属性
天津神
月神

御神徳
海上安全
海上安全
など

祀られている神社
月夜見神社
月読神社
など

夜を治める月の神様

ツクヨミも名前の通り、月の神様です。イザナギが右目を清めたところから生まれました。イザナギから夜の食国（おすくに）を治めるように言われていることからも、夜の神様であることがわかります。また、古代は月によって暦（こよみ）を読んでいたことから、暦の神様ともされます。性別の記述はありませんが、剣を所持している描写があるので一般的には男神とされます。

ツクヨミはアマテラスやスサノオと違って、これといった活躍が残っていません。『日本書紀』の一書にエピソードがありますが、それも『古事記』のスサノオの話と類似した内容のため、元々はツクヨミの神話だったものが、スサノオの神話に変化したのではないかという説があります。また、トヨウケが祀られている伊勢の外宮のすぐ近くにツクヨミを祀る月夜見宮（つきよみのみや）があり、江戸時代初期に書かれた『勢州古今名所集（せいしゅうここんめいしょしゅう）』によれば、ふたつの宮を結ぶ神路通り（かみじどお）は、夜にツクヨミが白馬に乗ってトヨウケの宮に通うのに使っているとか。民間の伝説ではありますが、情報の少ない神様だからこそ想像を掻き立てられます。

日本神話 豆知識

自分を祀ってくれる神社が少なくて寂しかったのか、顕宗天皇の御代に、家臣の阿閉臣に憑依して「私を祀ったら幸福になるよ」と神託。壱岐島から月神を呼び、京都に葛野坐月読神社が創建された。

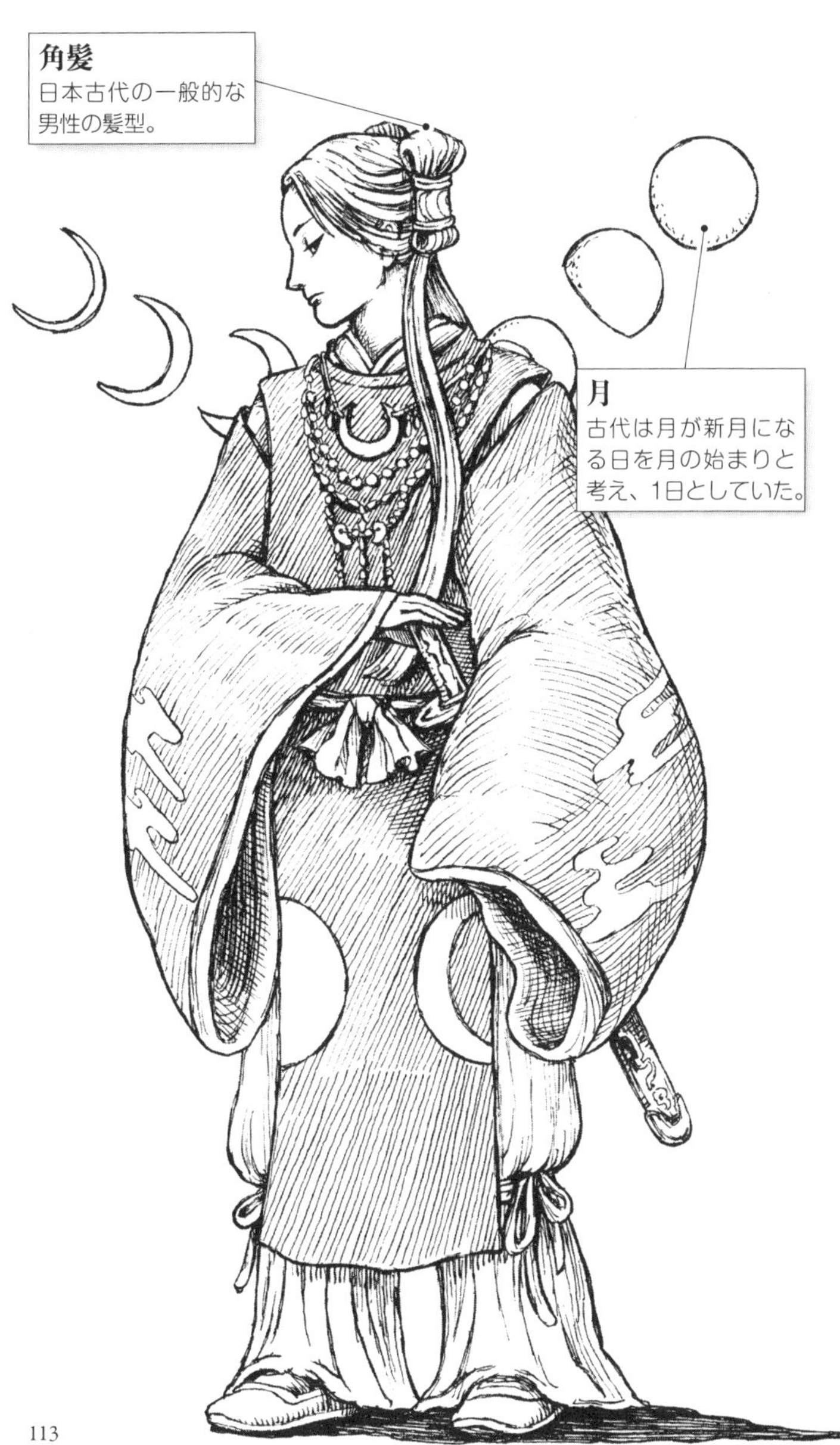
角髪
日本古代の一般的な
男性の髪型。
月
古代は月が新月にな
る日を月の始まりと
考え、1日としていた。

建速須佐之男命
タケハヤスサノオノミコト

Profile Data

出身
日向の阿波岐原

性別
男神

別名
素戔嗚尊
家都美御子大神
祇園さん
八坂さん

属性
国津神
荒神

御神徳
勝負運
縁結び
厄除けなど

祀られている神社
須佐神社
熊野本宮大社
八坂神社など

八岐大蛇退治で有名な荒神様

『古事記』においてイザナギが鼻を清めたところから生まれた神様です。この時、スサノオはイザナギから海原（うなばら）を治めるように指示されているため、海の神でもありますが、スサノオが号泣して海が枯れたためか、海神として祀る神社は少ないようです。しかし、今でも海が荒れるのは、スサノオが海を治めなかったためだという、民間信仰も残っています。また、日本最古の和歌を詠んだことでも有名です。妻との新婚生活の和歌だったことから、恋愛の神様、文学の神様ともされます。このようにスサノオは多彩な性格を持ちますが、「スサ」が「荒ぶる」や「進む」という意味を持つことから、元々は激しい勢いが神格化した神様といえます。

また、髪の中にシラミの代わりに百足（むかで）が住んでいたことや、毛が木になった神話から巨人説もあります。中世の神仏習合の折には牛頭天王（ごずてんのう）と同一視され、祇園祭（ぎおんまつり）で有名な八坂（やさか）神社にも祀られています。人間らしい点が魅力的で、時代を超えて愛され続けている神様です。

日本神話 豆知識　スサノオが巨旦（こたん）将来という人に旅の宿を頼むと、みすぼらしいと言われ拒否された。蘇民（そみん）将来に頼むと快く泊めてくれた。お礼に茅（ち）の輪を授け、蘇民将来は疫病にならず栄えた。夏の大祓（おおはらえ）の茅の輪の起源だ。

天羽々斬
八岐大蛇を斬った
伝説の剣。

思金神

オモイカネノカミ

Profile Data

出身
高天原

性別
男神

別名
常世思金神
天八意命
八意思兼神

属性
天津神
知恵神

御神徳
学業成就
合格祈願
など

祀られている神社
阿智神社
戸隠神社中社
秩父神社
など

思慮深い知恵の神様

「思い」を「兼ね備える」知恵の神様です。八意思兼神という別名からも多くの知恵（八意）を持っていたことがうかがえます。

特に天岩屋戸にアマテラスが籠った際の活躍が有名で、彼女を岩戸の外に出すための作戦を立て、無事に太陽を取り戻すことができました。ただ知識があるだけでなく、ユーモアのある作戦を立てられる人のことを「頭のいいひと」と認識しているところは、現代の価値観とも通じます。さらに、思慮深いことから、軍師としての一面もあります。ニニギの天孫降臨の際は、オモイカネも付き従い、政を任されました。

また、オモイカネの「カネ」が細工道具の曲尺に通じることから、宮大工が仕事はじめに行う「手斧初の儀」では、頭柱に八意思兼神の名を書くそうです。

先代旧事本紀によればオモイカネは信濃国に降り立ったとされ、阿智氏の祖となりました。秩父神社や、阿智神社、天岩戸神社の天安河原などに祀られています。

日本神話豆知識
アメノウズメがサルタビコを送った時に、ニニギからサルタビコの名をもらうように言われ、「猿女君」と名乗るようになる。伊勢に着くとサルタビコは釣りで貝に手を挟まれて、海に沈んでしまった。

天宇受売命
アメノウズメノミコト

Profile Data

出身
高天原

性別
女神

別名
天鈿女命
おたふく
おかめ

属性
天津神
芸能神
福の神

御神徳
芸能上達
開運
など

祀られている神社
椿岸神社
賣太神社
鈿女神社
荒立神社
など

日本最古の芸能の女神

日本最古の踊り子として神話が残る、芸能の女神様です。天岩屋戸にアマテラスが籠った際に裸踊りをして、八百万の神々を爆笑させました。福の神・おかめの起源ともされ、アイドルというよりは、お笑い芸人のような位置づけだったと考えられます。乳房が過度に性的なものとして見られてしまう現代においては理解が難しいかもしれませんが、『古事記』の時代ではとっておきのギャグだったと知っておくと、天岩屋戸神話における八百万の神々の陽気で、ポジティブな性格が伝わるのではないでしょうか。

アメノウズメは、サルタビコと結婚した逸話(いつわ)が残っており、高千穂には二柱の新居として慌てて建てたとされる荒立(あらたて)神社に祀られています。また猿女氏(さるめうじ)・稗田氏の祖のため、『古事記』を暗唱した稗田阿礼のご先祖様でもあり、奈良の稗田にある賣太(めた)神社に祀られています。アメノウズメはサルタビコと夫婦で祀られることが多いですが、長野にある鈿女(うずめ)神社では主祭神として祀られ、おかめ様として信仰を集めています。

天手力男神

アメノタヂカラオノカミ

岩戸を投げた力持ちの神様

その名の通り、力の神様です。天岩屋戸にアマテラスが籠った際に、戸から顔をのぞかせたアマテラスの手を取り岩屋から引き出しました。この時にアメノタヂカラオが投げた岩戸の一部が長野の戸隠（とがくし）に落ちて山になったという逸話があり、今も戸隠神社奥社の主祭神として祀られています。天孫降臨の際に、三種の神器を任された一柱です。

Profile Data

出身
高天原

性別
男神

別名
天手力雄神

属性
天津神
力神

御神徳
技芸上達
スポーツ上達
災難・厄除
など

祀られている神社
手力雄神社
戸隠神社奥社
など

天児屋命

アメノコヤネノミコト

祝詞や言霊の神様

天岩屋戸神話の際に、祝詞（のりと）を唱えた祝詞・言霊（ことだま）の神様です。祝詞とは、神社などで神職が神を呼び寄せる際などに唱える言葉で、「かしこみーかしこみーも　まおーすー」のフ

Profile Data

出身
高天原

性別
男神

別名
天児屋根命
春日神

属性
天津神
祝詞神

御神徳
学業成就
出世開運
など

祀られている神社
枚岡神社
春日大社
など

日本神話ギモンと考察

アメノコヤネを始祖とする藤原氏が、なぜタケミカヅチを氏神として祀ったのかは謎とされている。中では藤原氏（中臣氏）が鹿島（かしま）のある常総地方を拠点に繁栄したからではないかという説が有名。

レーズは七五三や厄払い（やくばらい）などで聞いたことがあるのではないでしょうか。これは「大変恐れ多いことではございますが申し上げます」という意味です。「コヤネ」は「小さな屋根」という意味なので、祝詞と遠く感じてしまいますが、神託を受けるための小屋を示していると考えられています。また「言綾根（ことあやね）」が訛ったものという説もあり、これは「言葉をあやねる（美しく捧げる）神」という意味になります。アメノコヤネは藤原氏の始祖であり、春日大社（かすがたいしゃ）などに祀られ、出世の神としても信仰を集めています。

布刀玉命

フトダマノミコト

Profile Data

出身
高天原

性別
男神

別名
太玉命
忌部神

属性
天津神
占い神

御神徳
占術向上
災難除け
など

祀られている神社
天太玉命神社
安房神社
など

占いの神様

天岩屋戸神話の際に占いをして、アマテラスがまた戻らないよう、岩屋にしめ縄を張った占いの神様です。フトダマは忌部氏（いんべうじ）の始祖で、『古事記』の中での記述は少ないですが、『古語拾遺（こごしゅうい）』にはフトダマがタカミムスヒの孫とされ、活躍も増えています。神代ではフトダマとアメノコヤネ、その後も子孫の中臣氏（なかとみうじ）（藤原氏）と忌部氏（斎部氏）で祭祀を執（と）り行ってきたので、中臣氏だけでなく忌部氏が役職に就（つ）くべきと主張しています。

建御雷之男神

タケミカヅチノオノカミ

勝利を導く武神

タケミカヅチは鹿島(かしま)神宮の主祭神で、鹿島神(かしまのかみ)とも呼ばれています。奈良時代に藤原氏が創建した春日大社にも、主祭神として祀られています。

タケミカヅチは日本神話の中で重要な存在で、雷神・武神としての性格も持っています。出雲の国譲り神話では、アメノトリフネと共に出雲の稲佐(いなさ)の浜に降臨しました。タケミカヅチは浜に立つと、布都御魂剣(ふつのみたまのつるぎ)を波の上に逆さに突き立て、その切っ先の上で胡坐(あぐら)をかいたのです。その姿には、オオクニヌシもさぞ圧倒されたことでしょう。

ここでオオクニヌシの息子タケミナカタと勝負をしたことから、二柱は相撲の起源の神様ともされています。道場の掛け軸で見かける「鹿島大明神」「香取大明神(かとりだいみょうじん)」はこの神話が起源で、武勇の神として長く信仰されてきました。また、タケミカヅチは神武東征のエピソードにも登場し、進軍に苦労する神武天皇に布都御魂剣(ふつのみたまのつるぎ)という出雲で使った剣を授けました。このことから勝利に導く神としても信仰を集めています。

Profile Data

出身
高天原

性別
男神

別名
鹿島神
武甕雷男神

属性
天津神
雷神
武神

御神徳
勝利運
武道上達
など

祀られている神社
鹿島神宮
春日大社
など

日本神話 豆知識

タケミカヅチの神使が鹿であることから、奈良公園の鹿は有名だが、藤原氏由来の藤の花も春日大社では大切にされており、社紋も「下り藤」。また、藤原鎌足を祀る談山神社の社紋は「上り藤」である。

布都御魂剣
出雲で国譲りを成功させた剣。神武東征の際に、天皇に授けられた。

少名毘古那神

スクナビコナノカミ

医療などの知識を授けた小さき神様

オオクニヌシの国造りの際、直径10センチほどのガガイモの種の船に乗って現れた神様。彼はその身体の小ささのせいで、母のカムムスヒの手からこぼれ落ちてしまったのだそう。一寸法師のモデルともいわれています。オオクニヌシと出会うと、スクナビコナは共に日本の国造りに関与することになりました。二柱は仲良く様々な地を旅して国を造りましたが、ある日スクナビコナは常世の国へと旅立ってしまいます。

しかし、この短い期間にも彼が各地に農業や医療、酒、温泉などの技術や知識を伝えた伝承が多く残っています。有馬(ありま)温泉の起源に関する伝承では、オオクニヌシとスクナビコナが薬草を求めて国々を旅していた際、有馬で傷ついた3羽のカラスが赤い水に浸かり、傷を癒しているのを見つけました。これが、有馬温泉の源泉(げんせん)であることを二柱は発見し、以後、多くの人々がその恩恵を受けました。記紀には登場の少ないスクナビコナですが、このように多くの技術や知識を伝えたことが各地に残っています。

Profile Data

出身
高天原

性別
男神

別名
久斯神
宿奈毘古那命

属性
天津神
医療神
酒造の神
温泉の神

御神徳
産業開発
病難排除
など

祀られている神社
少彦名神社
北海道神宮
酒列磯前神社
など

日本神話 豆知識
「常世の国でスクナビコナが祝って祝い狂って醸(かも)したお酒、残さず飲めよ」「この酒を醸した人は歌いながら醸したのだろう、なんと楽しい酒だろう」という酒楽(さかほがい)の歌がある。古代のコールであろう。

服
ガの皮で作った着
物を纏っていた。
天乃羅摩船
（ガガイモの船）
ガガイモの実を半分に
割って作られた舟。

櫛名田比売

クシナダヒメ

Profile Data

出身
出雲

性別
女神

別名
奇稲田姫
稲田媛

属性
国津神
稲田神

御神徳
豊作
縁結び
夫婦円満
など

祀られている神社
櫛田神社
氷川神社
八重垣神社
など

スサノオと結婚した稲田の神様

『日本書紀』では、奇稲田姫(くしいなだひめ)ともいわれる稲田の神様です。「クシ」の由来は、スサノオが八岐大蛇退治をした際にクシナダヒメをクシに変えて自分の髪に挿したためです。ただ、ここから後世付けられた名前なのか、その場のスサノオによる駄洒落(だじゃれ)だったのかはわかりません。また女性が常に身につけているクシには、持ち主の魂が宿るとされていたため、スサノオとの婚姻をクシナダヒメが受け入れた表現ともされます。

八岐大蛇の神話では過去にクシナダヒメの姉が大蛇の餌食(えじき)となっており、古代に人身御供(ひとみごくう)があったのではないかと考えられますが、考古学的にはまだ人身御供を示すようなものは見つかっていません。

ここから、姉の死は斐伊川が毎年氾濫(はんらん)することによる自然災害の犠牲を表したもので、八岐大蛇退治はスサノオによる河川(かせん)工事の伝導だったのではないかという説があります。稲田を守ったスサノオの姿が連想されます。

日本神話 伝承地

出雲の八重垣神社には、クシナダヒメが八岐大蛇から逃げ隠れた時に飲料水や鏡の代わりにしたという「鏡の池」がある。授与所で用紙をいただき、池に浮かべると文字が浮かぶ縁占いができる。

クシ
常に身につけている櫛には持ち主の御魂が宿ると信じられていた。
稲
稲田が擬人化された神様とも。

大国主神
オオクニヌシノカミ

国を造った国津神の最高神

オオクニヌシは医療の神、国造りの神、三輪山（みわやま）の神、好色の神、幽界（かくりよ）の神という多くの属性を持つ神様です。オオクニヌシには別名が多く、オオナムチ、オオアナモチ、ヤチホコ、アシハラノシコオ、ウツシクニタマ、カクリヨノオオカミなど、それぞれに性格の違いを持っています。「因幡の白兎」の神話が有名で、この時に八十神から迫害を受け、兎を救ったオオナムチが、後のオオクニヌシとなりました。スサノオからオオクニヌシの名を授かってからは、全国の美女と関係を持つプレイボーイとして成長し、ヤチホコと呼ばれます。また、『日本書紀』で国を譲った後に幽界に降りたことから、幽界の神という名前がつきました。『古事記』では出雲で隠居しますが、国津神の最高神でありながら幽界の神でもある、という謎めいた記述は、様々な憶測を呼んでいます。

容姿は「麗しい」と描かれ、ピンチがあれば、母に助けられ、妻に助けられ、ネズミに助けられ、スクナビコナやオオモノヌシに助けられる。愛され気質の神様のようです。

Profile Data

出身
出雲

性別
男神

別名
大穴牟遅神
八千矛神
葦原醜男
杵築大神など

属性
国津神
国造り神
縁結びの神
医療の神

御神徳
縁結び
夫婦円満
病気平癒
商売繁盛など

祀られている神社
出雲大社
大國魂神社
神田明神
大洗磯前神社
など

日本神話ギモンと考察

名前の数が多いのは複数をまとめたからではないかという説がある。また、『日本書紀』で幽界に降りたことから「幽界の神」とも呼ばれ、国譲りの際に殺されたのではないかという憶測もされている。

荷物
ヤソガミに持たされた
荷物。オオクニヌシと
同一視された大黒天も
持っている。
鏑矢
戦闘開始の合図など
に使われた、音の鳴
る矢。スサノオが野
に放った。
鼠
野の中で火に囲まれた
オオクニヌシを助け、
鏑矢を拾ってきた。

大物主神
オオモノヌシノカミ

Profile Data

出身
美保関

性別
男神

別名
三輪大神
三諸神
金毘羅様

属性
国津神
国造りの神
蛇神

御神徳
縁結び
疫病除け
商売繁盛
など

祀られている神社
大神神社
金刀比羅宮
など

三輪山に祀られた国造りの神様

パートナーであるスクナビコナを失い、国造りに困ったオオクニヌシの御霊から誕生しました。オオモノヌシは大和の三輪山に祀られ、国造りを成功へ導きます。

しかし、崇神(すじん)天皇の御代(みよ)ではオオモノヌシの荒魂(あらみたま)による疫病(えきびょう)が流行。国民の死を憂(うれ)いた崇神天皇は夢で神のお告げを求めると、オオモノヌシが出て、子孫のオオタタネコに自分を祀らせよと言いました。言われた通りにすると、疫病が収まりました。

オオタタネコの先祖である、イクタマヨリビメは大変綺麗な女性だったのですが、鍵をかけた寝室に毎夜通っている男性がいました。やがて妊娠すると、怪しんだ両親が娘に言ってその男性の着物の裾に糸を通させます。両親の言われた通りにして朝起きると、その糸が三輪山に続いていたことから、正体がオオモノヌシだとわかったそうです。この時に糸巻きに糸が「三巻き」しか残らなかったところから「三輪」という名前がつけられました。『日本書紀』ではオオモノヌシが蛇神(へびがみ)として現れる伝説もあります。

日本神話 豆知識
日本の神様は魂を分裂させることができると考えられており、『日本書紀』ではオオモノヌシは、オオナムチ（オオクニヌシ）の和魂(にきたま)（おだやかな魂）とされる。なお、荒々しい魂のことは荒魂という。

波
国造りで悩んだオオクニヌシが美保関で小言を漏らすと、海を輝かせて目の前に現れた。
蛇
オオモノヌシの正体は、蛇とされている。
頭椎の大刀
柄の頭に槌が付いたタイプの太刀。

事代主神

コトシロヌシノカミ

オオクニヌシの息子で漁業の神様

コトシロヌシは国譲りの折に、釣りをしていたところを高天原から派遣されたアメノトリフネに連れてこられた神話から、釣竿を抱えた恵比須様と習合しました。『日本書紀』では、コトシロヌシが神武天皇の皇后であるイスケヨリヒメの父親となっています。『古事記』ではこれがオオモノヌシであることから、二柱が同一神という説もあります。

出雲の美保神社などに祀られており、言い伝えによればコトシロヌシは鶏が嫌いだとか。というのも、コトシロヌシは美保の内海の対岸にある、妻のミゾクイヒメの家に毎夜舟で通っていました。しかしある日、鶏が時間を間違えて夜に鳴いてしまいました。もう夜が明けたと勘違いしたコトシロヌシは慌てて船に乗り家に戻ろうとしましたが、暗い海で舟を漕ぐ櫂を落としてしまいます。仕方なく足で舟を漕ぐと、次は鮫に咬まれてしまいました。この事件から、コトシロヌシは時間を間違えた鶏を恨み、鶏嫌いになったそうです。恵比須様が描かれる時、いつも足を曲げているのはこれが由来になっています。

Profile Data

出身
出雲

性別
男神

別名
八重事代主神
恵比寿大神

属性
国津神
漁業の神
託宣の神

御神徳
海上安全
豊漁
商売繁盛
など

祀られている神社
美保神社
事代主神社
など

日本神話伝承地

美保神社の御祭神であるミホツヒメは、タカミムスヒの娘で、オオクニヌシの妻だ。高天原から稲穂を持って葦原の中つ国に降り立ち、人々に稲作を広めたという。美保の地名はミホツヒメが由来。

猿田毘古神

サルタビコノカミ

Profile Data

出身
伊勢

性別
男神

別名
猿田彦命
道祖神

属性
国津神
導きの神

御神徳
交通安全
災難・方位除け
など

祀られている神社
猿田彦神社
椿大神社
など

天狗に似た容姿を持つ導きの神様

サルタビコは導き・みちひらきの神様です。猿田彦珈琲のブームで一気に認知度が上がりました。分かれ道にいた神様だったことから、道祖神と同一視されました。サルタビコは外見に大きな特徴があり、『古事記』では、灯台のように天地を照らし、『日本書紀』では、鼻の長さは7尺（約2メートル）、目は八咫鏡やホオズキのように照り輝いていたといいます。まるで天狗のような見た目をしていることから、天狗として描かれることもあります。また天地を照らす、太陽神の属性も持っています。

サルタビコが祀られている神社は、三重県の猿田彦神社と椿大神社が有名です。猿田彦神社はサルタビコがニニギの天降りの先導を終えた後に鎮座したとされ、今もサルタビコの末裔が宮司をされています。また、椿大神社にはサルタビコの御陵があり、神話と現代とが繋がっていることを肌で感じることができます。

建御名方神

タケミナカタノカミ

Profile Data

出身
出雲

性別
男神

別名
お諏訪さま
南方刀美神

属性
国津神
龍神
風神
軍神

御神徳
勝利祈
など

祀られている神社
諏訪大社
秋保神社
など

オオクニヌシの息子で風と水の神様

タケミナカタは諏訪大社の御祭神（ごさいじん）として有名で、蛇神（龍神）ともいわれています。

国譲りの際、タケミカヅチとタケミナカタが力比べをしたところ、タケミカヅチが圧勝しました。恐れたタケミナカタは諏訪まで逃げて「諏訪の地から出ません。殺さないでください。父や兄の言う通り国を譲ります」と言いました。タケミカヅチとタケミナカタの勝負は相撲の起源とされ、この神話が諏訪大社の起源となっています。

また、神無月には出雲大社に日本全国から神々が集まり、翌年の計画会議をするのですが、タケミナカタは諏訪から出ることができないため、出雲に赴（おもむ）かないそうです。別伝では、タケミナカタも出雲の会議に参加しようとしたところ、龍の身体があまりにも大きすぎてしまい、会議の邪魔になってしまったため、以来、出雲には行かなくなったともいわれています。

他にも諏訪には、御神渡（おみわた）り神話など、記紀にはない多くの神話が残っています。

日本神話 ギモンと考察

『古事記』では、葦原の中つ国を天津神の御子に献上することを誓ったタケミナカタだが、『日本書紀』にタケミナカタのエピソードはない。兄のコトシロヌシがあっさり国を譲ったので、出番が消えたのか。

Column タケミナカタのちょっとイイ話

地元の人だけが知っている精霊、ミシャグジ様

タケミナカタについて、長野県諏訪地域では記紀と異なる伝承が多く残っている。タケミナカタは「諏訪神」「お諏訪様」とも呼ばれ親しまれているが、諏訪信仰の中心は元々ミシャグジだった。このため、龍神像の諏訪神はタケミナカタではなく、ミシャクジではないかという。ミシャグジとは諏訪を中心に信仰されている精霊（神様）で、ミシャクジを祀る神社は中部地方を中心に関東、近畿まで広域に点在する。特に諏訪地域にはミシャグジに関連する神社が点在している。起源は縄文時代まで遡るとされ、古くから「風の神」「水の神」として尊ばれ、各地域の祭りや神事で中心的な役割を果たしてきた。諏訪では、タケミナカタが諏訪地域を訪れた際に、「洩矢神（もりやのかみ）」というミシャクジを信仰する一族と戦い、勝利したという伝承が残っている。この神話の背景には、外の勢力であったタケミナカタが諏訪地域を支配した経緯がうかがえる。一方で、諏訪を治めた後も、ミシャクジ信仰は失われず、洩矢氏は諏訪氏に仕え、祭りや神事で中心的な役割を維持してきた。

今でもミシャグジが地元の伝統や文化に根づいていることから、ミシャクジ信仰が丁寧に扱われてきたことがわかる。タケミナカタを祀る諏訪神社は全国に約２万5000社もあり、広く親しまれている。記紀神話においては記述の少ないタケミナカタだが、この背景からはタケミナカタの大きな器に多くの人々が魅了され、崇敬されてきたことがうかがえる。

邇々芸命

ニニギノミコト

アマテラスの孫で天孫降臨の主人公

ニニギは、アマテラスの孫にして「天孫降臨」の神話の主人公です。天照の孫であることから、「天孫」と呼ばれています。ニニギは皇祖神となる重要な神様なのですが、その行いは褒められたものではありませんでした。例えば美しい桜の神様サクヤビメに一目惚れをして「私はあなたと交わりたいと思うがどうか」という、唐突な求婚をしました。そして、父の許しを得てサクヤビメと共にニニギの下に嫁いできた姉のイワナガヒメのことは「ひどく醜い」という理由で実家に返してしまいます。さらに、サクヤビメが一夜で妊娠をすると「どこぞの国津神の子ではないか」と疑ったのです。甘やかされて育ったのか、女性を敵に回しがちな神様です。

こうしてイワナガヒメを実家に送り返したことで、天皇家に寿命ができたとされているのですが、神武天皇が東征に出る前に「天孫が降臨されてから179万2470年あまり経った」と発言しており、寿命を奪われても十分長く生きたようです。

Profile Data

出身
高天原

性別
男神

別名
天饒石国饒石
天津彦彦火瓊瓊杵尊
皇孫
天孫

属性
天津神
稲穂の神
豊穣の神

御神徳
五穀豊穣
国家安寧
など

祀られている神社
高千穂神社
霧島神宮
など

日本神話伝承地

宮崎の観光地として大人気の高千穂峡。その近くの高千穂神社では、毎晩「高千穂神楽」が開催されている。天岩戸がモチーフの神楽で、タヂカラオやウズメが舞う。神話の世界にどっぷり浸かれる。

宮崎県北部にある
高千穂峡。天孫降
臨の地とされる。

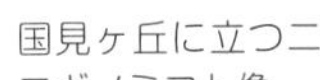

国見ヶ丘に立つニ
ニギノミコト像。

木花之佐久夜毘売

コノハナサクヤビメ

Profile Data

出身
日向

性別
女神

別名
神阿多都比売
木花開耶姫

属性
国津神
桜の神
繁栄の神

御神徳
安産・子授け
国家安寧など

祀られている神社
富士山本宮
浅間大社
木花神社など

桜と繁栄を象徴する女神

サクヤビメは、美しい桜と繁栄の神様です。桜の花のように儚(はかな)いイメージがありますが、一夜で妊娠をしたことで夫のニニギから浮気を疑われてしまいました。すると、「浮気でできた子なら無事には生まれません、しかしあなたの子なら無事に生まれます」と言って、産屋の入口を塞ぎ、火を放ちました。そして無事に３つ子を出産し、ニニギに身の潔白を証明します。サクヤビメは美しいだけでなく、桜の幹(みき)のように芯の強い女神なのです。

現在は、富士山の浅間大神と同一視され、富士山の神様にもなっています。古代、富士山は大噴火を起こし、周囲には誰も住めない状態でした。これを憂いた、11代垂仁天皇が浅間大神(あさまのおおかみ)を祀ったところ、噴火が鎮まり平和になったそうです。

静岡県富士市にある富士山本宮の浅間大社(せんげんたいしゃ)では、サクヤビメにちなんで５００本もの桜が植えられています。

日本神話 伝承地

サクヤビメの本名である、神阿多都比売は、「阿多」の姫であることが示されている。ニニギと出会った笠沙とは、車で北に1時間ほどの距離。南さつま周辺の神話であることがわかる。

桜
「木花」は桜の意味とされ、桜の神様として親しまれている。

石長比売
イワナガヒメ

Profile Data

出身
日向
性別
女神
別名
磐長姫
属性
国津神
岩の神
長寿の神
御神徳
延命長寿
良縁
縁切り
五穀豊穣
など
祀られている神社
銀鏡神社
米良神社
浅間神社
貴船神社
など

長寿を司る、サクヤビメの姉神

イワナガヒメは、岩のような長寿の神様です。妹のサクヤビメと共に、ニニギのもとへ嫁ぎに行きましたが、ひどく醜いことを理由に送り返されてしまいました。すると怒った父神のオオヤマツミは「私がニニギ様に2人の娘を奉ったのは、石のように寿命が尽きず、花のように繁栄させるためです。イワナガヒメを返した御子の命は、花のように儚(はかな)くなるでしょう」と言いました。これが、天皇が神の子であるにもかかわらず、寿命がある所以とされています。

また中世以降の伝承ですが、自分の容姿を恥じたイワナガヒメは、静岡県の雪見（烏帽子山）に隠れ住んだといいます。烏帽子山の頂上には、雲見浅間(くもみせんげん)神社があり、イワナガヒメが祀られています。そして同じく静岡県の大室山では、大室山そのものがイワナガヒメの化身という伝承があり、ニニギの一件で仲が悪くなってしまった姉妹、富士山と大室山は、今でもにらみ合っていると伝わります。

日本神話伝承地

三岳参りで有名な山、鹿児島県黒尊岳(くろそんだけ)に「寿命継ぎの神」と呼ばれる小さな祠がある。ここにはイワナガヒメが祀られており、長寿のご利益があるとして登山家に人気のパワースポットになっている。

Column イワナガヒメのちょっとイイ話

イワナガヒメを祀る神社

宮崎県にある銀鏡（しろみ）神社も、イワナガヒメを主祭神として祀る珍しい神社だ。伝承によれば、ある日、イワナガヒメが自分の顔を鏡に映したところ、醜い姿に驚いて鏡を投げ捨てた。その鏡は龍房山（りゅうぶさやま）まで飛んでいき、大木にかかり輝いて山の西方を照らした。そのため、この地は銀鏡（しろみ）と呼ばれるようになった。鏡を探しに龍房山に来たイワナガヒメは、山麓の銀鏡神社の地で暮らし、田を開いた。やがて実った稲を見たイワナガヒメは「ヨネヨシ、ヨネヨシ（米良、米良）」と言って喜んだ。その地域は米良（めら）と呼ばれるようになった。

一方、米良神社には悲しい伝承がある。晩年、身体が不自由になったイワナガヒメは、米良神社沿いにある小川に身を投げてしまったのだ。米良神社は、イワナガヒメが埋葬された場所であり、生前自分の醜さを恨んでいたイワナガヒメの怒りを買わないよう、女人禁制となっている。父神オオヤマツミもこの地で娘のイワナガヒメが亡くなっていたことを知り、嘆いて狭上稲荷（さえいなり）神社で亡くなったそうだ。

イワナガヒメは姉のサクヤビメと共に祀られることが多いが、雲見浅間神社や大室山（おおむろやま）浅間神社、伊豆神社は、彼女のみを祀っている。イワナガヒメとサクヤビメ。共に良縁のご利益があるとされるが、あなたはどちらに自分の恋愛成就のお願いをしたいだろうか。二柱とも男性に苦労しているので、親身になって願いを聞いてくれそうだ。

火照命 火遠理命

ホデリノミコト
ホオリノミコト

Profile Data

ホオリ	ホデリ
出身	**出身**
日向	日向
性別	**性別**
男神	男神
別名	**別名**
山幸彦 山佐知毘古 彦火火出見尊	海幸彦 海佐知毘古
属性	**属性**
天津神の御子 山幸の神 火の神 稲の神	天津神の御子 海幸の神 火の神 稲の神
御神徳	**御神徳**
豊猟 豊作 子孫繁栄など	豊漁 航海安全 芸能上達 など
祀られている神社	**祀られている神社**
青島神社 鹿児島神宮 など	潮嶽神社 など

海幸彦と山幸彦の名で知られる兄弟神

ニニギとサクヤビメの3兄弟の息子たちで、「海幸彦と山幸彦」の神話の主人公。ホデリは長男で、別名は海幸彦。火が出はじめたときに生まれたことを表します。神話では弟のホオリに服従し、隼人の祖となりました。次男はホスセリといって、炎が勢いよく燃え上がる様子を指していますが、神話には登場しません。ホオリは三男で、別名は山幸彦。火の終わりや稲穂がたくさん出ることを表す、豊作の神様です。また、彦火火出見尊（ひこほほでみのみこと）という別名もあります。この名前は、ホオリの孫にあたる初代神武天皇と同じ名前です。また、ホオリは「虫よけの神様」としても有名で、稲を食べてしまうイナゴなどの害虫を駆除するご利益があり、福井県の大虫神社に縁起が残っています。

日本神話 豆知識　『日本書紀』では、海幸彦の名はホスソリとされており、ヒコホホデミに服従する際、「私はあなたの俳優（仕えて演技をする人）になります」と言っている。日本の元祖・俳優である。

塩乾珠
潮（海水）を
引かせる玉。
塩盈珠
潮（海水）を
満ちさせる玉。
弓矢
狩りが得意な
山幸彦の持ち物。
釣竿
釣りが得意な
海幸彦の持ち物。

豊玉毘売

トヨタマビメ

Profile Data

出身
海の国

性別
女神

別名
豊玉毘売命

属性
国津神
海神
鰐神
龍神

御神徳
縁結び
安産
など

祀られている神社
豊玉姫神社
海神神社
など

ホオリの妻となった海の女神

トヨタマビメはホオリ（山幸彦）の妻で、海の神様です。オオワタツミの娘のため、海の国に住んでいましたが、ホオリの子どもを身ごもり、陸に上がってきました。しかし出産時に、夫にサメの姿を見られたことを恥じて、海の国に帰ってしまいます。

このトヨタマビメとホオリの出会いにまつわる有名な伝承のひとつが、枚聞（ひらさき）神社に残っています。枚聞神社の北方に位置する「玉の井」は、トヨタマビメが使用したとされ、日本最古の井戸とも。『古事記』や『日本書紀』にも類似の記載があり、水を汲みをきっかけに、ホオリと出会ったことが描かれています。伝承によれば、この地域はかつて海であり、海神の宮の入口、または竜宮界との境界であったそうです。「拝ケ尾（はいがお）」と呼ばれる土地で、この名前にはトヨタマビメとホオリが顔を合わせた場所という意味が込められていると伝わっています。宮崎県の鵜戸（うど）神宮には、トヨタマビメが海に帰る際、我が子を思って自分の乳房を岩にくっつけて帰ったと言い伝えられる「お乳岩（ちちいわ）」があります。

日本神話 ギモンと考察

和邇（わに）は鰐か鮫か。本書では全て鮫として紹介しているが、原文には「和邇」と書かれており、「口が大きいもの」という意味だ。古代日本に鰐はいないが、神話なので鰐でも面白い。

サメの姿
全ての他国の人は、出産時に本国の形になって産むという。

鵜葺草葺不合尊

ウガヤフキアエズノミコト

日向三代の3代目で、神武天皇の父

日向三代の中では、極端に記述の少ない神様です。『古事記』では天津日高日子波限建鵜葺草葺不合命といい、ニニギと同じくとても長い名前です。アマツタカヒコの部分はニニギと同様で、「天も地も慈しむ天の子」という意味。その後は、「波打ち際で勇ましく鵜の茅を葺き終わる前に生まれてきた子」という意味になります。トヨタマビメの妹であり、自身の叔母であるタマヨリビメと結ばれました。『古事記』では、後に神武天皇となる4男のカムヤマトイワレビコが生まれたところで、神話が終わっています。

ウガヤが鎮座する鵜戸神宮では、海に浮かぶ亀石に運玉を投げ入れ、入ったら願いが叶うというジンクスがあり、宮崎駅近くの金城堂には神話ゆかりのお菓子もあります。

ほとんど記述がないことから、後世の創作であるという説や、『上記』や『竹内文献』といった古史古伝（偽書である可能性が高い『古事記』風の書物のこと）ではウガヤフキアエズ王朝があったとされており、情報がない分、様々な憶測を呼んでいる神様です。

Profile Data

出身
日向

性別
男神

別名
天津日高日子波限建鵜葺草葺不合命彦波瀲武鸕鷀草葺不合尊など

属性
天津神の御子
稲の神
農業神

御神徳
豊作
子孫繁栄など

祀られている神社
鵜戸神宮など

日本神話ギモンと考察

古史古伝の歴史学的な価値は疑問視されることが多いが、全ての記述は否定できない。現在では動画投稿などで人気コンテンツになっており、魅力的なエンタテインメントであることは間違いない。

Column ウガヤフキアエズのちょっとイイ話

ウガヤフキアエズ王朝とは？

古史古伝マニアに支持されているのが、ウガヤスキアエズ王朝だ。古史古伝とは、古代の記録や文献を主張するものだが、多くの学者からその信憑性に疑問が持たれている。その理由として、写本が非公開であったり、江戸時代以前まで遡れなかったり、神代文字で書かれていると主張されたりすることが挙げられる。さらに、上代の日本語と異なる仮名遣いや近代以降の用語の使用が確認されることもある。

ウガヤスキアエズ王朝は、『ウエツフミ』『竹内文献』『富士宮下文書（ふじみやしたもんじょ）』などの古史古伝書に記述があり、神武天皇以前の古代王朝を指す。この王朝はホオリの子、ウガヤスキアエズが開始したとされている。王朝の詳細については文献によって異なるものの、各書、独自の世界観が展開されているところが魅力である。ウエツフミによれば、ニニギは祖母山（そぼさん）に降り、その周辺に最初の都を築いたとされる。その孫ウガヤスキアエズの命の時代には、ほぼ全国を統治していたそうだ。特徴的なのは『ウエツフミ』と『竹内文献』では女帝が即位していることだ。一方『富士宮下文書』では男性の即位しかない。これは皇統に限らず、他の系図にも同じ傾向が見られることから、著者の価値観が垣間見える。こうした相違点を見ると、信憑性のなさに目が行ってしまうが、「まさかこれは私だけが気づいてしまった本物の歴史の真の真実ではないか!?」という、古史古伝が与えてくれる特有の興奮感は代えがたいものである。

神武天皇

カムヤマトイワレビコ
じんむてんのう

Profile Data

出身
日向

性別
男神

別名
彦火々出見尊
狭野尊

属性
天津神の御子
現人神
稲の神

御神徳
開運
招福
延寿など

祀られている神社
橿原神宮
など

人への転換点となった初代天皇

初代天皇で、一般的にウガヤフキアエズまでを神代、神武天皇からを人代とします。ウガヤフキアエズの4男で、名前はカムヤマトイワレビコ、サノノミコトなどがあります。神武天皇4人兄弟の4男で、15歳で皇太子になったといいます。長男のイッセは戦いに敗れて死亡、次男のイナイは母の国（海の国）へ行き、3男のミケイリノは常世の国に行ったため、残るは4男のイワレビコしかいなかったのですが、兄がまだいるうちからウガヤの跡を継ことが決まっていました。より若い息子が皇位を継ぐケースは珍しくありません。これは、兄たちは成人すると家を出てしまうので、残った末の子が継ぐ慣習があったから、若い息子の方が神威が強かったから、などの説があります。初代ということもあり、堅苦しいイメージを持たれがちですが、部下のオオクメと「あの7人の娘たちの中で、どの子がタイプですか?」「えっと、あの先頭のお姉さんっぽい子がいい」と歌い合った後に、命令を下して部下をナンパに行かせるという、人間くさいエピソードもあります。

日本神話ギモンと考察

神武天皇の即位が紀元前660年だという数字は、明治に出された。キリスト教文化に負けない強国造りを迫られた時代背景を考えれば、この計算を責められないが、そろそろ現実的な数字も欲しい。

Column 神武天皇のちょっとイイ話

本当に実在したの!?
初代・神武天皇

私は実在派である。年齢が非現実的とか、日本建国が紀元前660年だとか、明らかに不自然な点については懐疑的(かいぎてき)であるが、それでも信じる理由は、考古学的に九州地方から、大和地方への遺跡群の移動が発見されたからである。

卑弥呼が引っ越したのではという説も出たが、卑弥呼より50年ほど後の孫世代の出来事だ。3世紀頃、突如大和地方に九州の建築が建ち、古墳が増え、大和朝廷・古墳文化が栄えた。九州地方の有力者が大和に移り住んで国を開いたと考えた方が自然だろう。『古事記』にもそう書いてある。

また、神武天皇一行が「白肩津(しらかたのつ)」に上陸したという記述も面白い。白肩津は、現在の大阪府枚方市北部。今は陸地で上陸できない場所だ。しかも、記紀の編纂された奈良時代にも既に沼地化が進んでおり、舟で来られなかった可能性があるのだ。知り得ない海路が記されているなら、昔の言い伝えを描いたと考えるしかない。さらに神武天皇は、記紀に載っていない伝承地が多くある。例えば、宮崎県の美々津(みみつ)。記紀に記述がないにもかかわらず、神武天皇が出港した町として、多くの伝承を残している。美々津から出港した地元出身の王が大和で成功したから、誇りに思って代々語り継いできたと考えた方が現実味がある。これらの理由から個人的には実在したと考えた方が妥当だと考えているが、古代の魅力は答えが出せないというところだ。ぜひ、議論を楽しんでほしい。

倭建命

ヤマトタケルノミコト

悲劇のヒーローとなった天皇の皇子（みこ）

12代景行（けいこう）天皇の皇子で、『古事記』では悲劇のヒーローとして描かれています。ヤマトタケルの兄が、父の景行の妻になるはずだった姉妹を寝取ったため、ヤマトタケルは兄を殺（あや）めました。すると景行は、実の兄を殺したヤマトタケルを恐れ、すぐ熊襲（くまそ）の平定を命じます。この時、ヤマトタケルはまだ少年で、不可能に近い任務でした。しかし、ヤマトタケルは平定（へいてい）を終えて大和へ帰ってきます。すると景行はまたすぐに東国（あづまのくに）の平定を命じました。ここでヤマトタケルは、父の景行が自分に死んでほしいのだと気付き、叔母のヤマトヒメの元で涙を流します。ヤマトヒメは甥に草薙剣を授けました。

ヤマトタケルは草薙剣と共に東国を平定しましたが、大和に帰ることなく、妻のミヤズヒメの枕元に草薙剣を置いて、伊吹山（いぶきやま）の猪神（ししがみ）に素手で戦いを挑みました。しかし、負けて呪いをかけられ、道中で亡くなってしまいます。この時、故郷の大和を偲（しの）んで歌った「大和は国のまほろば」の歌は有名です。亡骸（なきがら）は白鳥になったといいます。

Profile Data

出身
大和

性別
男神

別名
小碓尊
倭男具那命

属性
現人神
武神

御神徳
勝負運
国土安泰
出世開運
など

祀られている神社
熱田神宮
大鳥大社
など

日本神話 豆知識
草薙剣は伊吹山の神に挑む前に、ヤマトタケルの妻ミヤズヒメに預けられた。ヤマトタケルの死を知ったミヤズヒメは悲しんで、現在の熱田（あつた）神宮に草薙剣を祀った。壇ノ浦に沈んだのは形代（かたしろ）である。

草薙剣
火攻めのピンチに草を薙ぎ払って一行を救った。
狼
ヤマトタケルの眷属。日本書紀では、白い犬が信濃の山で迷ったヤマトタケルを美濃に案内した。

八幡神

はちまんしん

Profile Data

出身
宇美

性別
男神

別名
応神天皇
誉田別尊
胎中天皇

属性
現人神
武神

御神徳
国家安泰
勝負運
仕事運
など

祀られている神社
宇佐神宮
石清水八幡宮
筥崎宮
鶴岡八幡宮
など

宇佐に現れたという神様

八幡神は応神天皇と同一視されている神様です。571年に福岡県の宇佐(宇佐八幡宮)に現れ、自分が応神天皇で日本を守護すると告げた伝説があり、古くから信仰されています。源平合戦(げんぺいがっせん)の時代には、源頼義が京都の石清水(いわしみず)八幡宮や鶴岡若宮(つるがおかわかみや)などを勧請(かんじょう)(創建)。その鶴岡若宮を、鎌倉幕府の初代将軍である源頼朝が鶴岡八幡宮として現在の場所に移したしたことから、「勝負運のご利益がある」とより広く崇敬を集めるようになりました。八幡は戦いに勝った時に掲げる、多くの旗を表します。

記紀においては、応神天皇の活躍よりも、母の神功(じんぐう)皇后の活躍が華々しく、神功皇后は妊婦のまま戦いに出て、朝鮮半島を平定しました。その後、福岡県の宇美(うみ)に戻って出産した際に、赤子の腕に弓を打つ際に使う道具のホムダのような肉片がついていました。皇后はこれを大変喜び、胎中でも戦っていたのだと「ホムダワケ」と名付けます。その子どもが後の応神天皇で、出産時には多くの旗を掲げたと伝わっています。生まれる前から即位

日本神話 ギモンと考察
応神天皇は「オオトモワケ」とも呼ばれる。「ホムダ」が鞆の古名なので、意味は同じ。古代天皇で唯一誕生日が12月14日と判明しているが、父が亡くなった日からジャスト10月10日後である。意味深だ。

大幡主命を主祭神として祀る、富山県にある越中護国八幡宮。

が決まっていたことから、胎中天皇とも呼ばれました。また、応神天皇より4代前の垂仁天皇の御代に越国を平定した大幡主命（大若子命）との関係も注目です。大幡主命は越国での勝利の際に多くの旗を掲げて、八幡の宮を創建しました。現在も越中護国八幡宮は大幡主命を主祭神として祀っています。いずれにせよ八幡神は勝利の神様なのです。

　このように古くから多くの人々に愛されている神様のため、謎が多くありますが、『古事記』に残る応神天皇のお人柄は、道端で出会った乙女に一目惚れしたり、愛の歌が長すぎたり、息子に絶世の美女を譲るほど器が大きいのに、酔ってつまずいた石に絡む、お茶目でおおらかな性格です。

宇迦之御魂神

ウカノミタマノカミ

Profile Data

出身
一説には出雲

性別
女神

別名
倉稲魂命
お稲荷さん
三狐神
御食津神

属性
国津神
食物の神

御神徳
五穀豊穣
商売繁盛
など

祀られている神社
伏見稲荷大社
小俣神社など

お稲荷さんとして親しまれる食物神

千本鳥居（せんぼんとりい）で有名な伏見稲荷大社が総本宮（そうほんぐう）で、お稲荷さんとして愛されています。元々は穀物や農業の神で、豊作のご利益にあやかって全国に稲荷神社が増えていきましたが、米農家が裕福になったことから、商売繁盛の神としても崇められるようになりました。今では、デパートの屋上などでも赤い鳥居を見ることができます。

『古事記』ではスサノオの子（『日本書紀』ではイザナギとイザナミの子）として生まれ、兄に大年神（おおとしのかみ）がいます。毎年正月に年神様（としがみさま）をお迎えするため正月飾りや、門松、鏡餅などをお供（そな）えしますが、この時に各家庭へ降りてくる神様です。毎年の実りを願う神様ですので、兄の大年神が豊作を願い、妹のウカノミタマは稲倉（いなぐら）がいっぱいになることを願う、最強タッグの兄妹です。狐がウカノミタマの眷属（けんぞく）になったのは、狐が稲につく害虫を食べるからとか、食物神のことを広くミケ（御食）ツカミと呼び、「三狐神（みけつかみ）」という字を当てていたからともいわれています。

日本神話 豆知識　住吉三神は、朝鮮三国を守るために当てられた三神とも。特に百済とは親密な関係にあり、雄略（ゆうりゃく）天皇の時代には百済と高句麗の戦いに日本も加勢した。白村江（はくすきのえ）の戦いでも加勢したが、破れて滅亡した。

底筒男命 中筒男命 上筒男命

ソコツツノオノミコト
ナカツツノオノミコト
ウワツツノオノミコト

航海祈願の「住吉三神（すみよしさんじん）」

ソコツツノオ、ナカツツノオ、ウワツツノオは、「住吉三神」として有名で、住吉大社、住吉神社などに祀られています。

神功皇后の夫である仲哀（ちゅうあい）天皇がこの三神の神託を聞かずに呪い殺されたため、代わりに妻の神功皇后が神託を守り、新羅（しらぎ）に攻め入ることになりました。

すると住吉三神のご加護で大きな波が起こり、神功皇后が乗った船はあっという間に新羅に着き、さらに波は止まらず、内陸まで船で攻め入ることができました。恐れた新羅王がすぐに降伏したため、戦わず新羅、百済（くだら）、高句麗（こうくり）（任那（みまな）・加羅（から）とも）を従わせたといわれています。

このことから、三神には航海安全や勝負運などのご利益があるとされます。また、ほとんどの住吉神社で神功皇后も共に祀られているので、出産や良縁、女性のキャリアアップなど、現代を生きる女性に嬉しいご利益もあります。

Profile Data

出身
日向の阿波岐原

性別
男神

別名
住吉三神
墨江之三前大神

属性
国津神
航海の神

御神徳
海上安全
勝利運
など

祀られている神社
住吉神社
など

多紀理毘売命
市寸島比売命
多岐都比売命

タキリビメノミコト
イチキシマヒメノミコト
タギツヒメノミコト

「宗像三女神（むなかたさんじょしん）」として有名な道しるべの神様

宗像三女神として有名な神様です。福岡県の宗像大社をはじめとした、多くの神社に祀られています。アマテラスとスサノオの誓約（うけい）から生まれた神様で、二柱の子ですが、どちらかの子とする場合は、物実（ものざね）を提供したスサノオの子になります。

朝鮮半島や大陸への航海の安全を願ったことから、航海安全、交通安全など道しるべの神様とされており、「道主貴（みちぬしのむち）」という別名も。この「貴」という字には、「尊い神様」という意味があり、他には、天津神の最高神といえる「大日孁貴（おおひるめのむち）（アマテラスのこと）」と、国津神の最高神といえる「大己貴命（おおなむちのみこと）（オオクニヌシのこと）」にしか使われていない字であることから、宗像三女神もまた最上位にあたる神と考えられます。

タキリビメとタギツヒメは、オオクニヌシに嫁ぎ、イチキシマヒメの夫については記述がありません。京都府の籠神社に、ニニギの兄であるアメノホアカリの妻がイチキシマヒメという伝承があります。神仏習合の折に弁財天（べんざいてん）と習合しました。

Profile Data

出身
高天原
天安河原

性別
女神

別名
宗像大神
道主貴

属性
国津神
航海の神

御神徳
海上安全
商売繁盛など

祀られている神社
宗像大社など

日本神話 ギモンと考察

オオクニヌシに嫁がなかったイチキシマヒメは、ホアカリに嫁いだとも。ニニギの兄で、ニギハヤヒと同一視される神だ。イチキシマヒメはニニギの養育係だったそうで、そこで出会ったのかも？

世界遺産！「神宿る島」宗像・沖ノ島と関連遺産群

2017年7月、宗像三女神を祀る沖ノ島と関連遺産群が、世界遺産に登録された。沖ノ島とその関連遺産群は九州本土から約60キロの位置にあり、宗像三女神は航海の神として、古代の活発な東アジアの交流を支えてきた。その中で発展した神宿る島の崇拝の伝統は、今でも色濃く継承されている。ここでは宗像三女神の子孫とされる宗像氏が、代々宗像大社の祭祀を務めた記述が残り、重要な役割を果たしてきた。沖ノ島では、４世紀後半から９世紀末まで、航海安全を祈願する古代祭祀遺跡が発掘されている。

また、「みあれ祭」は壮大だ。宗像大社の特別な神事で、毎年10月１日から３日まで行われる。国や五穀の豊穣、海上の安全への感謝が込められている祭りだが、ここで最も印象的なのは、海上を移動する神の御座船（ござぶね）である。漁船が集まり海上パレードを行うのだ。まず、辺津宮（へつみや）に祀られたイチキシマヒメが、沖の島にある沖津宮（おきつみや）のタキリビメと、筑前大島の中津宮のタキツヒメを乗せて２隻の御座船を迎える。御座船は大島から辺津宮の市杵島姫神が待つ神湊（こうのみなと）まで海上神幸として移動する。年に一度だけ三女神が集まるのだ。

このド派手な祭りとは対照的に、「神宿る島」としての伝統も守られてきた。沖ノ島は特別だ。現代も女人禁制であり、男性でも入島や持ち出しには厳格な禁忌がある。古代から続く信仰が、現代も生き続けている。

菅原道真

すがわらのみちざね

天満宮に祀られる学問の神様

全国の天満宮に祀られています。記紀神話や皇族と関わらない人物が神となったケースでは、一番有名な神様ではないでしょうか。道真は平安時代の大変優秀な学者で右大臣(うだいじん)までのぼりつめました。しかし家格(かかく)が低いことなどから反感を買い、無実の罪で大宰府(だざいふ)へ左遷。その後は衣食住もままならない環境に置かれ、2年後には亡くなってしまいました。すると朝廷で次々に道真の左遷に関わった人物が不慮(ふりょ)の事故や病気で亡くなっていき、しまいには会議中に落雷を受け、多くの死傷者が出たのです。事件を目撃した天皇も体調を崩して、まもなく崩御(ほうぎょ)してしまいました。これを道真の怨念(おんねん)として、北野天満宮へ丁寧に祀ることになりました。これが天満宮のはじまりです。

道真は雷神として恐れられましたが、呪いが収まると、優秀な人だったことから学問・出世の神様として崇敬を集めるようになりました。今では全国の受験生にとって、最後の希望の光となっています。

Profile Data

出身
大和

性別
男神

別名
天神様
阿呼

属性
人神
雷神

御神徳
学業成就
合格祈願
など

祀られている神社
太宰府天満宮
北野天満宮
防府天満宮
など

日本神話 豆知識

菅原道真の幼名は阿呼(あこ)という。「梅の花紅(かこう)の色にも似たるかな阿呼がほほにつけたくぞある」という可愛らしい歌を残している。「梅の花は紅色に似てる？阿呼のほっぺにつけてみたい」という意味。

雷神
呪いで皇居に雷を落としたとされる。日本三大怨霊の一人としても有名。

徳川家康

とくがわいえやす

Profile Data

出身
三河（愛知県）

性別
男神

別名
東照大権現

属性
人神

御神徳
出世開運
商売繁盛
など

祀られている神社
日光東照宮
久能山東照宮
上野東照宮
など

後に神となった徳川家の始祖

家康は言わずと知れた徳川将軍家の始祖で、神号は東照大権現(とうしょうだいごんげん)です。日光東照宮などに祀られています。天を照らす「天照」の意味を知っていると、東を照らす「東照」という神号を授かったことが、どれほど特別な栄誉だったのかわかります。江戸幕府を開いた初代の征夷大将軍(せいいだいしょうぐん)で、晩年には武家出身者としては、4人目となる太政大臣(だじょうだいじん)になりました。

家康が神様になったのは、豊臣秀吉が生前死後自分を八幡神として祀るよう望み、朝廷から「豊国大明神」の神号が与えられたことがきっかけで、その後天下を取った家康も死後に神号を与えられました。ちなみに、徳川幕府のはじまりと共に秀吉の神号は廃され、豊國神社も廃絶されてしまいます。現在の豊國神社は、明治天皇が再興したものです。

今では多くの戦国武将が神社に祀られていますが、これは徳川幕府の勢力が落ちた幕末から明治にかけて、藩祖を祀ることが流行したものです。しかし明智光秀は鎮魂の想いを込めて流行前から神社に祀られていました。どこか神々の悪戯心を感じてしまいます。

日本神話 豆知識

自然崇拝と同様に先祖崇拝も盛んで、偉業を成し遂げた歴史的人物も神として祀られてきた。中世では豊臣秀吉以降に増えるが、古代では土地の支配者が死後、神社に祀られたと見られるケースが多い。

靖国神社の英霊

やすくにじんじゃのえいれい

靖国神社に眠る246万超の英霊たち

神話とは少し離れてしまいますが、靖国神社には246万以上の多くの英霊が神様として祀られています。

昔は英語で「War shrine（戦争神社）」と訳されたことや、第二次世界大戦に関連する多くの英霊が祀られることから、センシティブに扱われてきましたが、元々は明治維新を立ち上げる際に犠牲となった人々を祀った神社でした。有名な人物としては、吉田松陰、坂本龍馬、高杉晋作、久坂玄瑞、中岡慎太郎などがいます。

靖国神社については軽々しく語ることができず、様々な意見があって当然かとは思いますが、日本の未来を想って亡くなった方々に対して感謝の気持ちを込めて、静かに手を合わせることについては誰にも非難されず、もっと当たり前にできる環境になって欲しいと、個人的には願っています。

神になった怨霊

「日本三大怨霊」として広く知られている菅原道真、平将門、崇徳天皇は、いずれも平安時代の実在の人物で、現在では神として祀られている。彼らが日本三大怨霊として広く注目されるようになったのは、江戸時代に歌舞伎や小説を通じて広く大衆に紹介されたことが大きな要因だが、神として祀られた背景には、「御霊信仰」と呼ばれる信仰が深く関わっている。この御霊信仰は、天災や疫病などの突然の災厄を、「怨みを抱えた怨霊が引き起こしている」とする信仰で、怨霊をなだめ敬い、御霊として扱うことで、これ以上の災いが起こらないよう願うものである。人々は、怨霊が平穏を取り戻せば、自らの生活も安定し、社会全体が繁栄すると信じていた。『古事記』においても、天皇家の祖神に当たらないオオクニヌシの話が多くを占めているのは、天津神に国を譲ったオオクニヌシの神話を丁寧に残すことで、呪いを回避したいという御霊信仰が関わっているという。オオクニヌシを祀る出雲大社がアマテラスを祀る伊勢神宮よりも大きな建築となったのも、この信仰に基づくものだろう。

菅原道真、平将門、崇徳天皇も不遇の死を遂げた後、天変地異や関係者の不慮の死などが相次ぎ、怨霊とされて祀られるようになった。このように彼らは熱心に信仰され、一見、平穏を取り戻したかのように見えた。しかし第二次世界大戦後、GHQが平将門の首塚を壊そうとすると、ブルドーザーが転倒。運転手が死亡する事故が発生したそうだ。この事例から、彼らの怨霊の力が未だに健在であることが伺える。

現在、菅原道真は全国の天満宮、平将門は神田明神や御首神社、崇徳天皇は白峰神社などに祀られている。なお平将門の首塚は、関東大震災後に大蔵省が潰すと、その直後に大臣以下14名が死亡した。

第3章

神々の事件簿

神々や英雄たちが引き起こした
数々の大事件

新婚さん国生み事件

（『日本書紀』第四段一書第五より）

ピュアすぎる！日本初の夫婦共同作業

イザナギとイザナミは、家の中心に立つ大きな天御柱（あめのみはしら）の周りを左右に分かれて回り合い、そしてまた出会った。これから夫となるイザナギへ愛の言葉を投げかける。イザナミは目を輝かせながら、これから夫となるイザナギへ愛の言葉を投げかける。

「まあ、なんて素敵な男性なの!?」

これは神話の時代の結婚の儀式である。しかしイザナギが口をへの字にして「こういうものは、男からするものだろう」と言ったので、もう一度はじめからやり直すことにした。

イザナギは「ああ！　なんて、素敵な女性なんだ」と、妻になる人に向けてビシッと愛の言葉を投げた。するとイザナミも嬉しそうに、「まあ、なんて素敵な男性なのでしょう！」と応える。

シンプルではあるがこれにて儀式は完了。二柱は晴れて夫婦になったのだ。

そして夫婦になったからには、このあとにやることはひとつである。「まぐわい」だ。イザナギは、満面の笑顔をイザナミに向けた。

日本神話豆知識　イザナギとイザナミのセキレイの神話にちなんで、婚礼の際には鶺鴒台（せきれいだい）という飾りが床の間に置かれた。島や浜を模った台の上に岩や松の土台を置き、その上につがいの鶺鴒が飾られる。

「よし！　イザナミ、まぐわいをして僕たちの子どもの島を作ろう！」

「いいわ！　では、どうしたらいいの？」

その問いに、イザナギはポカンとして首をかしげた。

「え？　……どうしたらって？」

「だから、まぐわいって何？　子どもって、どうしたらできるの？」

二柱はそのまま固まってしまった。だって、イザナギとイザナミは日本史上はじめての夫婦なのだ。まぐわいのやり方なんて全くわからなかった。

「え……ど……どうしたら………」

イザナギが戸惑っていると、近くにあった岩の上につがいの鶺鴒（せきれい）が飛んできた。鶺鴒はその場に2羽で重なり、身体をゆすりはじめたではないか。イザナギとイザナミは、顔を見合わせた。

「これだ！」

二柱は鶺鴒のおかげで、夫婦のまぐわいの方法を知ることができた。こうして、イザナギとイザナミは無事に日本の島々や神々を産むことができたのだった。

日本でも身近な鳥、白鶺鴒（はくせきれい）。

吐瀉物（としゃぶつ）おもてなし事件

（『日本書紀』第五段第十一より）

姉弟喧嘩が原因!? 昼と夜が別れた理由

主要人物 ツクヨミ
主要人物 アマテラス

アマテラスは謁見の間にツクヨミを呼び出すと、上目遣いで弟の顔を見た。

「ねぇ、ツクヨミ。今日は暇かしら？　私の代わりに食物神のウケモチ（保食神）のところへ行ってほしいの。出された食事を食べるだけだから、お願い！」

「……はい。わかりました」

ツクヨミはなんの疑問も持たずに、ウケモチの元へ向かった。

しかし、出迎えたウケモチの前にあったのは空の皿だ。ツクヨミは疑問に思いながら席に着くと、ウケモチが緊張した面持ち（おももち）で入室し、ツクヨミの前に立った。

束の間の静寂。ウケモチは陸の方を向いてのけぞり、まるで嘔吐（おうと）するかのように勢いよく、

「おぼろろろろ……っっ!!」

と、米を吐き出した。

衝撃の映像にツクヨミが刮目（かつもく）すると、続いて海の方を向いて魚を吐き出し、山の方を向いて獣を吐き出す。

全てを吐き終えたウケモチは、よだれを

日本神話豆知識 食物を司る神のことを御食津神（ミケツカミ）という。代表的なのはスサノオに斬られたオオゲツヒメ、ツクヨミに斬られたウケモチ、お稲荷さんのウカノミタマ、アマテラスの食事係トヨウケヒメなど。

払って、ツクヨミに笑顔を向けた。

「さ、お召し上がりください♡」

瞬間、ツクヨミはブチ切れる。

「いや、こんな汚らわしい吐瀉物、食えるわけないだろうがっ!!」

そして、その勢いのままウケモチを斬ってしまった。

この報告を聞いたアマテラスはひどく怒る。「なんでよ、ツクヨミ！　ご飯を食べるだけって言ったじゃない」「しかし、姉上。あんな吐瀉物を食べろという方が無理です。わざとですか？　わざとでしょう!!」「はぁっ!?　わざとじゃないし。私は前、ちゃんとアレ食べたし。ウプッ……思い出しちゃった……」「知ってたなら、断れよっ！！！」「違うわ。あれは、彼女の最上級のおもてなしなのよ？　断れるわけないでしょう？　それなのに斬っちゃうなんて最低！」「正当防衛だろ！」「なによ、なんて悪い神なの⁇　あんたなんか顔も見たくないわ！！！　高天原から出ていけバカー!!」「俺だってもう顔も見たくない！　今すぐ出て行ってやる！！！」と言った。

こうして、太陽神アマテラスと月神ツクヨミは別れ、昼と夜ができたそうだ。

ちなみに後日、アマテラスがウケモチのところに使者を派遣したところ、遺体の頭には牛馬が、額には粟（あわ）、眉毛には蚕（かいこ）、目には稗（ひえ）、腹には稲、陰部には麦と大豆と小豆が成っていた。これが五穀の起源となっている。

ウ●チ椅子事件

八岐大蛇を倒したヒーローは問題児!?

(『日本書紀』第七段一書第二より)

主要人物 スサノオ

主要人物 アマテラス

「フハハ!! 勝った勝った! これで俺も晴れて高天原の住人だ!!!」

スサノオはご機嫌で美しい高天原の地を走った。父のイザナギに葦原の中つ国を追放され、姉に挨拶をするために高天原まで来たはずが、誓約(うけい)の勝負に勝ったので、しばらく邪魔することになったのだ。

高天原には、八百万の神々が豊作を願い丁寧に整備された田園風景が広がる。スサノオはニヤリと笑った。

「よし、壊そう!」

そう言うと、田んぼの溝を埋めて畔(あぜ)を壊してしまったのだ。せっかく植えた稲が腐ってしまった。八百万の神々はアマテラスにスサノオを止めるよう訴えたが、アマテラスは「きっと畑を作ろうとしたのね」と言って、弟をかばった。

また、八百万の神々が稲を刈ろうとすれば、スサノオがあたり一面に縄を張って、「こっから先は、ぜ〜〜んぶ俺の陣地!! 侵入禁止だっ!!」と言って、実った穀物を全て自分のものにしてしまう。

日本神話豆知識

「新嘗祭」とは稲の収穫を祝い豊穣を祈る大切な行事で、神話の時代から毎年行われている。新穀を天神地祇(てんしんちぎ)(八百万の神々)に献上し、天皇が食する。現在は、勤労感謝の日に行われている。

しまいには、アマテラスが機を織っている小屋に皮を剥いだ馬を落とし入れた。これまで必死に織ってきた大事な布が全て破れてしまったが、それでもアマテラスは怒らずに、「スサノオは本当はいい子なの」と言ってうつむき、弟の悪事を許した。

こうして落ち着かないまま迎えた新嘗祭（にいなめさい）。1年の豊作に感謝する大切な神事だ。最高神のアマテラスが、中央にある神殿の座席に座るとビチャッという音が鳴った。

「え？ ビチャ？ 今のって……何の音？」

あたりを見渡すと、必死に笑いをこらえるスサノオの姿が目に入る。自分の周囲がとても臭い。完全に、ウ●チの臭いだ。

アマテラスはハッとして席を立った。自分の席が茶色くなっている。おしりも茶色だ。自分がウ●チ臭くなってしまったのがよくわかる。アマテラスは真っ青になって「まさか……スサノオのウ●チ？」と言葉を漏らした。その瞬間、スサノオが「ヒャハァーーッ！！！」と爆笑し出した。

アマテラスは目に涙を浮かべ、顔を真っ赤にしてついに弟を怒る。

「なによ……なによなによ！ あんたにはちゃんとお姉ちゃんらしくしようと思って、私っ、ずっと我慢してたのに。あんたなんかもう知らないんだからっ！！！」

と言って神殿から駆け出し、天岩屋戸に籠ってしまった。

八百万の神々は必死にアマテラスを励ますことで、なんとか太陽を取り戻し、スサノオを追放した。

剛毛植林事件

（『日本書紀』第八段一書第四・五より）

主要人物
スサノオ

剛毛過ぎる！スサノオの毛!!

天岩屋戸事件を起こした罪で、全財産を没収され、高天原を追い出されたスサノオは、息子のイタケルと共に新羅国に降りた。やがて、新羅のソシモリの地に着くと、スサノオは不機嫌に腕を組む。

「俺、この土地にいたくない！！！」

そして土の舟を造って、東に渡った。何度追い出されても、自由だ。やがて辿り着いたのは、出雲の鳥上の山だった。そこには人を飲み込んでしまう大蛇、八岐大蛇がいたので、スサノオは天羽々斬剣を持って倒した。すると、尾から草薙剣が出てきたので、それは高天原に献上した。

一方のイタケルが高天原からたくさん持ってきた木々の種は、新羅には植えず、九州から順に巡り日本各地に植えた。おかげで日本の山々は青々としたそうだ。

そんなある日、スサノオは「韓国の島には金銀財宝がある。俺の子孫が治める国に舟がなければ困るだろう！」と言って、突然ヒゲを抜きはじめた。するとなんと、そのヒゲからスギの木が成ったではないか。

日本神話 豆知識 イタケルは伊太祁曽（いたきそ）神社などに祀られる木の神。日本全国に木を広めたことから、林業の神様としても親しまれている。また紀伊国に鎮座したことから、オオヤビコとも同一視されるようになった。

スサノオの毛から生まれた木々

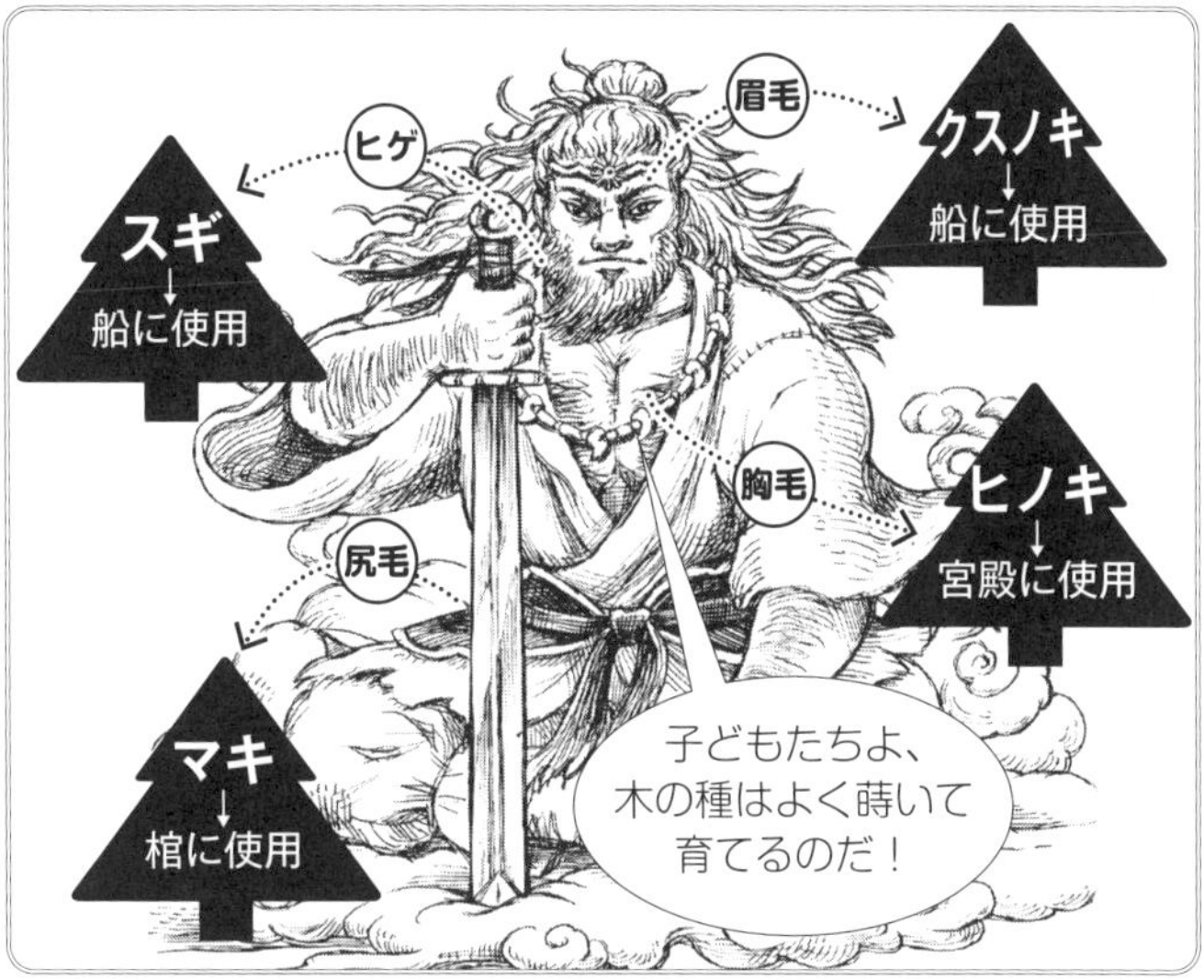

「父さん、カッコイイ！」

イタケルが尊敬のまなざしを向けると、スサノオはさらに胸毛を抜いてヒノキに、尻毛を抜いてマキに、眉毛を抜いてクスノキにした。

そして、「スギとクスノキは舟に使うこと。ヒノキは宮殿に使うこと。マキは棺に使うこと。その他のたくさんの種はよーくまいて育てること！」と言った。

息子のイタケルと、妹のオオヤツヒメ、ツマツヒメは、父親の言うことをよく聞いて、木の種をたくさん蒔いた。

やがて、この三柱は紀伊国［きいのくに］（木の国）に祀られた。

国引き事件
（『出雲風土記』より）

主要人物
ヤツカミズ

狭いなら広げればいいじゃない!? 国土をゲット！

ある日、スサノオの4世孫にあたるヤツカミズは憤慨した。

「はぁ……この出雲国は、まるで細長い布のようではないか。なんと小さい国なのだろうか！」

そしてあることを思いつく。

「そうだ。どこかの国とくっつけて広くしよう！」

ヤツカミズは広い海を眺めた。遠くの方に新羅国が望める。

「おお！　あそこにちょうど、余った土地があるではないか！」

ヤツカミズは早速、大きな鋤（すき）を使って新羅の土地をぐさりと刺して、まるで魚でもさばくかのように土地を切り出す。そして太縄（ふとなわ）をさらに三つ編みにした超極太縄を取り出すと、土地を繋いで「国来（くにこ）～国来～」と歌いながら出雲の方へと引っ張った。

土地は舟のように海を浮いて、出雲まで流れ着く。ヤツカミズは土地を引っ張って出雲の杵築（きつき）の地へくっつけると、縄を杭で打ち付けた。その杭は佐比売山（さひめやま）（三瓶山）

日本神話伝承地　ヤツカミズが国引きを終えて「終えっ」と言った土地は、意宇社（おうやしろ）と呼ばれ、親しまれている。実際に衛星写真で確認すると、本当に縄で引っ張り繋げたような形になっているから不思議だ。

国引きにより生まれた地形

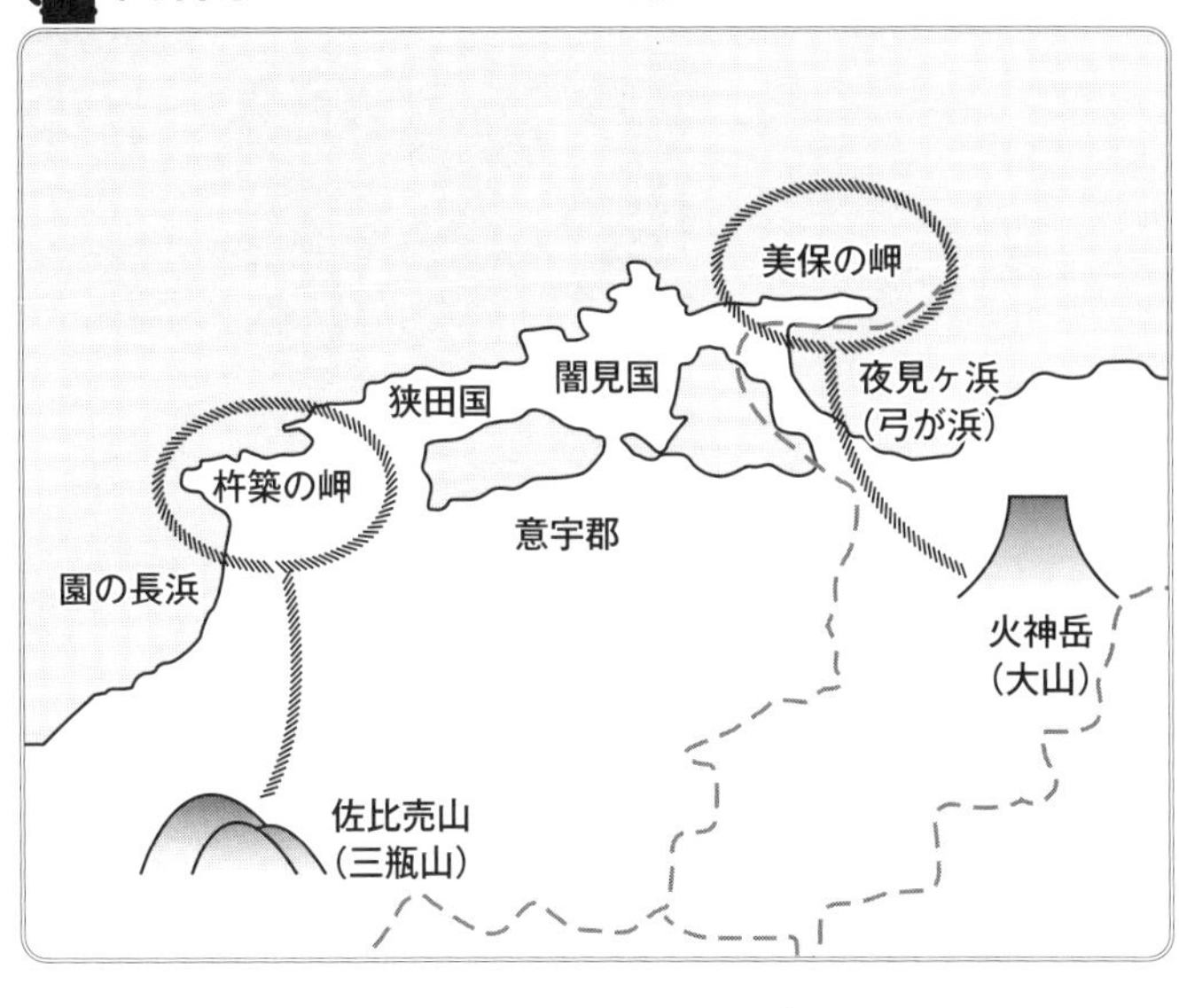

になり、垂れた縄は薗の長浜になった。

しかし、ヤツカミズはまだまだ不満そうに、「うーむ。まだ土地が足りないか」と、つぶやくと、今度は近場の狭田国と闇見国（島根県）を引っ張り繋ぎ合わせ、最後は越国（新潟県）から余った土地を引っ張って、杭を打つ。その杭は火神岳（大山）になり、垂れた縄は夜見ヶ浜（弓ヶ浜）になった。

こうして広大な土地を手に入れると、ヤツカミズは満足そうにニカッと笑って杖をついた。

「これにて、国引き終了！　終えっ!!」

するとその杖はたちまち森になる。その土地は、「終え」がなまり「意宇郡」と呼ばれるようになった。

オオナムチ好色男子化事件（『古事記』より）

心優しい少年が成人したらプレイボーイに⁉

主要人物
オオナムチ（オオクニヌシ）

「絶世の美女であるヤガミヒメは、ヤソガミではなく、心優しいオオナムチ様のことを夫に選ぶでしょう……」

それが「因幡の白兎」の神話に登場する白兎の予言だった。

しかしこの心優しいオオナムチ、とんでもない女好きだったのである。

成人したオオナムチは、事情があって自分の先祖であるスサノオの家を訪れた。しかしそこにスサノオの姿はなく、美しい女性が出迎えた。2人は目が合った瞬間、互いに惹かれ合う。オオナムチは思った。「これは完全に運命だ」と。

オオナムチはその場で彼女を押し倒した。後の正妻となるスサノオの娘、スセリビメである。それからなんやかんやあって、オオナムチはスサノオから「オオクニヌシ」という「偉大な国の主」を表す立派な名前をもらう。愛娘のスセリビメを抱きかかえ、今にも去ろうとしているオオクニヌシに向けて、スサノオは悔しそうに言った。

「俺の太刀と弓矢を使って、悪いヤソガミ

日本神話豆知識
オオクニヌシの別名であるヤチホコは、多方で矛を使いまくっている神という意味を持つが、オオナムチも大穴持ちと置き換えられ、沢山の穴を持っているという意味の、どうしようもない名前。

を追い払うんだ！　そしてオオクニヌシとしてスセリビメを正妻とし、立派な宮殿に住むがいい！　こいつめぇ！」

　娘を奪われるのはムカつくけど、幸せになってほしいというスサノオの親心が垣間見える。しかしオオクニヌシは、ヤソガミを追い払うと、新婚早々、スセリビメも住む自宅に因幡のヤガミヒメを呼び寄せた。しかも国造りは放置。全国美女巡りの旅に出かけたのだった。

　この日着いたのは越国だ。島根県の出雲市から新潟県の糸魚川市。新幹線を使っても10時間。徒歩だと軽く1週間はかかる距離である。しかし彼女の家に着いたのは明け方だった。用があるのは夜の方なので、オオクニヌシは少しイラつきながら彼女の部屋の扉をたたいた。

「僕は自分に相応しい妻を探すため国中を旅している。君は美しく教養のある女性だと聞いてここまで来た。しかしもう日は昇りはじめ、朝を知らせる鳥が鳴き出してしまった。なんて忌々しいのだろう。あんな鳥など、殺してしまおうか？」

　なんて自己中心的な歌なのだろう。すると朝にもかかわらず、お目当ての彼女から歌が返ってきた。

「鳥たちは殺さないで。明日の夜には身体を重ね合うことができますから……」

『よっし！！！』

　といった調子で全国の美女を次々と落としていくオオクニヌシ。最終的には180人もの子どもを作った。

妻のお色気作戦事件

（『古事記』より）

浮気夫の家出を防いだのは妻の色気!!

「いい加減にして！　正妻はこの私よ？　さっさとこの家から出ていきなさい!!」

プレイボーイとして名高いオオクニヌシだが、正妻のスセリビメは嫉妬深い女性だった。因幡から嫁ぎに来たヤガミヒメも、いじめに耐えられなくなってしまう。

「もういいです、私は実家に帰ります！　どうせ、あの人今月も家に帰って来ないし、また他の女連れてくるし！」

そしてヤガミヒメは、オオクニヌシとの間に生まれた赤子を木の俣に置いて、因幡に帰ってしまった。

しかしスセリビメが夫に近づく女をどんなに追い払っても、彼の浮気は止まらず、家を開けるばかりだった。

さらにオオクニヌシは、彼女の嫉妬深さに嫌気がさして、出雲を出て大和へ行こうとする。スセリビメがそれを引き止めようとすると、オオクニヌシは片手を馬の鞍（くら）にかけ、片足を鐙（あぶみ）にかけ、今にも出発しそうな様子で詠い出した。

「ああ、愛しい妻よ。君は泣かないという

日本神話伝承地　ヤガミヒメが因幡に帰るとき、オオクニヌシの間に生まれた子どもは木の俣に置いて行かれてしまった。木俣神（きまたのかみ）、別名・御井神（みいのかみ）と呼ばれる。安産の神様として有名で、出雲の御井神社などに祀られる。

けれども、僕が去れば君はススキのようにうなだれて泣くのだろう？　その涙は朝霧のように僕の心を迷わせるだろう……」

　なんてしらじらしい歌なのだろう。しかも、今にも旅立ちそうな出で立ちは変わらない。スセリビメは深いため息をつくと、酒を持って夫のそばへ寄った。

「ああ、私のオオクニヌシ様。貴方は男性ですから、島の岬の先まで巡り廻って、全国各地に側妻（そばめ）を持っていらっしゃるのでしょう？　でも私は女性ですから貴方の他に夫はおりません。はあ……綾の帳がふわりとゆれる中、麻の柔らかいお布団の下で、シャラシャラと心地よい音を鳴らす楮布（こうぞふ）（※）のお布団の下で、泡雪のように白い私の胸を優しく撫でて、互いの手を絡ませ股を伸ばし、お休みになってくだされればいいのに…………さ。お酒をどうぞ♡」

　そう言ってスセリビメは夫に可愛らしく上目遣いを送る。

　ここで酒を注がれたオオクニヌシはそれをグイッと飲み干すと、馬から手を放して妻をぎゅーーっと抱きしめた。

「……やっぱり、大和に行くのはやめて、君といることにした♡」

　男は単純だ。こうして今でも、オオクニヌシは出雲に留まることになった。この妻の作戦が成功したおかげで、オオクニヌシは今も出雲大社に祀られている。

※楮布…クワ科の植物である楮を原料として作られる織物のこと。

トンデモ

我慢対決事件

（『播磨風土記』より）

なんでそれで勝負をしようとした!? ウ●チ我慢対決

元の鞘へ収まったオオクニヌシは、ようやく国造りをはじめようとした。しかし、まだちょっと気乗りがしない。オオクニヌシは美保関でボーッとしていた。

すると、波の先にガガイモの実で作った船に乗っている、小さな小さな神をみつけた。彼の正体はスクナビコナ。あまりにも小さかったので、母のカムムスヒの手から零れ落ちてしまったのだそう。

そこでオオクニヌシは、国造りをスクナビコナと二柱一緒にすることにした。二柱は協力し合い、様々な地を訪れて国造りを進めた。

ところがある日、オオクニヌシはスクナビコナと些細なことで言い争いになり、勝負をすることになった。

「オオクニヌシ、勝負だよっ！　ボクはこの地面に落ちている埴土(はにつち)を拾いながら背負って歩く。君はウ●チを我慢しながら歩くんだ。長く遠くまで歩けた方が勝ち！」

「受けて立つ！『古事記』公式で美男子と紹介されるこの僕が、こんなくだらない

日本神話 豆知識

ハニとは粘土質の泥という意味で、埴輪の埴も泥を固めて作ったために付けられた名前だ。また、糞の隠語としても使われ、イザナミの糞から生まれた神はハニヤスビコとハニヤスビメという。

他にもたくさんある、神話由来の地名

血なまぐさい由来が多いので、埴岡が可愛らしく思えてくる。

地名	現在	由来
愛比売	愛媛県	イザナギとイザナミが生んだ愛比売から
須賀	島根県雲南市大東町須賀	スサノオが清々しいと思ったから
楯津	大阪府東大阪市盾津町	イワレビコが盾を持ったから
茅渟海	大阪湾	血が流れて血の海になってしまったから
相津	福島県会津	東と西の二手に分かれて進んだ将軍が会えたから
羽振苑	京都府相楽郡精華町大字祝園	反逆者を斬りはふったから
屎褌	大阪府枚方市楠葉	反逆者を苦しめたら糞が出て袴にかかったから
相楽	京都府相楽郡	首をつってぶら下がり、自殺をしようとしたから
焼津	静岡県焼津市	ヤマトタケルが天叢雲剣で焼き払ったから
三重村	三重県	ヤマトタケルの足が三重に折り重なったから
当芸野	岐阜県多芸郡	ヤマトタケルの足がたぎたぎ（たどたど）しくなったから
宇美	福岡県福岡市宇美町	応神天皇（ホムダワケ）が生まれたから
都奴賀	福井県敦賀市	たくさんのイルカが鼻を怪我して血なまぐさかったから
飛鳥	奈良県高市郡明日香村	人を殺してしまったので身を清めて明日帰ることにしたから

勝負で負けるてたまるものかっ!!」

数時間で終わると思われたこの勝負は、なんと数日に渡って続いた。やがてオオクニヌシは冷や汗をかきながら小刻みに震え出し、「ア……無理かも」と小さく声を漏らすとそのまま勝負に敗北した。

オオクニヌシのウ●チは笹にはじかれ、そこら中に飛び散ってしまう。そのためこの地はハジカ（兵庫県初鹿野）と呼ばれるようになった。

「……穴があったら入りたい」

それを見たスクナビコナは大爆笑。

「あはは！　実はボクも限界だったんだ」

と言って、埴土を放り投げた。

こうしてできた丘を埴岡（兵庫県神崎郡日吉神社）という。

日本初ネグレクト事件

（『播磨風土記』より）

主要人物
オオクニヌシ

オオクニヌシ子どもを捨てる!?

ドカン!! ドババババドターン!!!

今日も宇迦山（うがやま）の宮（出雲大社）はものすごい騒音が響いていた。オオクニヌシは息子のホアカリに声をかける。

「ちょっ、ホアカリくん……ごめん、今の時間、みんなお仕事してるんだ。迷惑になるから……もうちょっと落ち着こうか」

「おう！ わかった落ち着く!!!」

ドガガガガドカーーン！

しかしまたものすごい音がする。どうやら、次は屋根に穴が空いたようだ。

「はぁぁぁぁ……」

オオクニヌシは深いため息をついた。実はこのホアカリ、ものすごい乱暴者で手の付けようがなかったのだ。

（絶対にあの人の隔世遺伝（かくせいいでん）だ……）

オオクニヌシは高天原で同じように暴れまわって問題を起こしまくり、追放されたご先祖様のことを思い出した。

「キャー!!! 助けてー!!!」

「あっはっは！ バーカバーカ!!」

今度は何をしたのだろうか。また遠くで

日本神話ギモンと考察

アメノホアカリはニニギの兄としても登場する。記紀においてはオシホミミとチヂヒメの長男であり、『先代旧事本紀』によればニギハヤヒと同一神とも。オオクニヌシの息子が別神なのかも不明だ。

誰かの叫び声と、ホアカリの舐め腐った声が聞こえる。オオクニヌシは覚悟を決めて立ち上がった。

「ダメだ……これ以上は面倒見切れない。ホアカリには悪いけど、どこかに置いて、出雲に帰って来られないようにしよう」

こうして次の日。オオクニヌシは息子を誘って舟を出した。

「ホアカリ、今日はパパと一緒にキャンプに行こう！」

オオクニヌシが用意したのはとても大きな舟で、たくさんの箱や甕、兜、稲、蚕、琴、そして犬に鹿まで乗っている。

「おおお!!　行くー！！！」

ホアカリは大喜びで舟に乗り込んだ。やがて播磨の八丈岩山に着くと、オオクニヌシは空になった甕を覗いて、息子を呼ぶ。

「あちゃー。ねえ、ホアカリ見て？　甕が空になってしまったよ。この山の奥に川があるから水を汲んできてくれないか？」

「おう！　わかった！」

ホアカリは意気揚々と山の中に消えていってしまった。息子が完全に見えなくなると、オオクニヌシは船頭たちと顔を見合わせ、ギュッと櫂を握りしめる。

「よし、今だ！　ホアカリを置いて、出雲に引き返そうっ」

オオクニヌシも船頭も、ホアカリが帰らぬうちにと必死に舟をこぐ。すると、背後で《ガシャン！》と、甕の割れる音が聞こえた。

ホアカリだ。

「親父……俺のこと、騙したの？」

「うん、実はそうなの。まじでごめん！」

「そんな……ひどいぞ親父……。俺、親父がキャンプに誘ってくれて、めちゃくちゃ嬉しかったのに……」

「うんっ……！　それは本当に申し訳ないと思ってる！　本当、ごめん‼」

「絶対に許さねぇ……親父なんか……親父なんか大嫌いだっ！！！！」

ホアカリは激怒して、その場で大波を起こした。その波はオオクニヌシの乗った舟を直撃する。

「いゃぁぁぁぁ！！！！！」

舟は薬師山（やくしやま）のあたりで転覆。舟に乗せた荷物は周りにバラバラと散らばって、丘になった。

そのうち蚕が落ちた姫山（ひめやま）には、現在、姫路城が建っている。

蚕が落ちた姫山に建つ姫路城。

日本神話豆知識

『風土記』の中でも『出雲風土記』は完本として残っており、神話への愛の深さが感じられる。例えばオオクニヌシがカムムスヒの娘ムラヒメを娶り、毎朝通った場所が朝山と呼ばれたなどの話が残る。

各地の『風土記』一覧

『風土記』は、地方別にその風土や文化などについて記した書物。
現存するのは、完本の『出雲風土記』を含む5か国しかない。

※逸文→現存はしないが他の書物に引用されて断片的に伝わる文章のこと

東北・関東地方

現代の地域	書名	現存
青森・岩手	陸奥国風土記	逸文
茨城	常陸国風土記	写本が現存
千葉・茨城	下総国風土記	逸文
千葉	上総国風土記	逸文
神奈川	相模国風土記	逸文

中部地方

現代の地域	書名	現存
新潟	越後国風土記	逸文
新潟	佐渡国風土記	不明
福井	若狭国風土記	逸文
福井	越前国風土記	逸文
山梨	甲斐国風土記	逸文
長野	信濃国風土記	逸文
岐阜	美濃国風土記	逸文
岐阜	飛騨国風土記	逸文
静岡	遠江国風土記	逸文
静岡	駿河国風土記	逸文
静岡	伊豆国風土記	逸文
愛知	尾張国風土記	逸文
愛知	参河国風土記	逸文

近畿地方

現代の地域	書名	現存
三重	伊賀国風土記	逸文
三重	伊勢国風土記	逸文
三重	志摩国風土記	逸文
三重・和歌山	紀伊国風土記	逸文
滋賀	近江国風土記	逸文
京都	山城国風土記	逸文
京都	丹後国風土記	逸文
京都・兵庫	丹波国風土記	不明
兵庫	但馬国風土記	不明
兵庫	播磨国風土記	写本が現存
兵庫	淡路国風土記	逸文
大阪・兵庫	摂津国風土記	逸文
大阪	河内国風土記	逸文
大阪	和泉国風土記	逸文
奈良	大和国風土記	逸文

中国地方

現代の地域	書名	現存
鳥取	因幡国風土記	逸文
鳥取	伯耆国風土記	逸文
島根	出雲国風土記	写本が現存
島根	石見国風土記	逸文
岡山	美作国風土記	逸文
岡山	備前国風土記	逸文
岡山	備中国風土記	逸文
広島	備後国風土記	逸文

四国

現代の地域	書名	現存
徳島	阿波国風土記	逸文
香川	讃岐国風土記	逸文
愛媛	伊予国風土記	逸文
高知	土佐国風土記	逸文

九州地方

現代の地域	書名	現存
福岡	筑前国風土記	逸文
福岡	筑後国風土記	逸文
福岡・大分	豊前国風土記	逸文
佐賀・長崎	肥前国風土記	写本が現存
長崎	壱岐国風土記	逸文
長崎	対馬国風土記	不明
熊本	肥後国風土記	逸文
大分	豊後国風土記	写本が現存
宮崎・鹿児島	日向国風土記	逸文
鹿児島	大隅国風土記	逸文
鹿児島	薩摩国風土記	逸文

口裂けナマコ事件

（『古事記』より）

主要人物
ウズメ

衝撃！ナマコの口が裂けた理由

「やっほー！　海の仲間たち集まれー！みんな、ウズメにちゅうもぉーくー!!」

高天原のアイドルともいえるウズメは伊勢の海に向かって大きな声で叫んだ。大小様々なヒレを持つ魚が集まってくる。ウズメはにっこり笑った。

「あのね、このまえ高天原からアマテラス様の孫のニニギ様が地上に降りてきたの！これからはオオクニヌシくんじゃなくて、天津神の御子が葦原の中つ国を治めることになったから、よろしくねっ！」

「おぉ!!」

魚たちは歓声を上げた。良い反応が得られると、ウズメはライブのMCのようにまた声を張る。

「それじゃあ、海の仲間たち～！　みんな天津神の御子に仕えてくれるかな～??」

「いいとも～～！！！」

魚たちは声を合わせて返事をした。しかしナマコだけは返事をしない。当然といえば当然だ。なぜなら、ナマコに口は無いのだから。ウズメはしゃべらないナマコの方

日本神話伝承地

ニニギを地上に案内したサルタビコは、高千穂の地でウズメと結婚することになった。これが急だったので、荒木（あらき）を利用して急いで造った宮が2人の新居となり、今でもその地に荒立（あらたて）神社が残る。

ナマコの口は裂けている？

を向くと、笑顔でエアーマイクを向けた。

「大丈夫。も一度いくよ？　ナマコくんも仕えてくれるかなぁ〜〜？？」

「……」

もちろん返事はない。ウズメは笑顔のまま、そのナマコを左手ですくい、握った。そして首にかけた小刀を右手に持つ。

「あれれ？　答えない口はこれかな〜？　そんな口はぁ〜〜こうだぁぁぁ〜〜〜★」

グサグサグサッ!!

「っっっっーーー!!!!!」

こうして、ナマコは口を裂かれてしまった。この事件のせいで、今でもナマコの口は裂けているそうだ。

見るなのお約束事件
(『古事記』より)

だから見ちゃダメだって言ったのに…

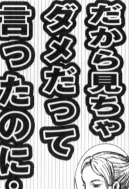

あの時、イザナミは言った。「私を見ないでください」と。日本昔話の鶴も言った。「私を見ないでください」と。

そしてホオリの妻であるトヨタマビメも言ったのだ。「私を見ないでください」と。

しかし、ホオリは首をかしげる。

「え、なんで?」

これから妻は出産に入るというのに、夫はどこか他人事だ。出産をするために使う産屋も屋根を葺(ふ)き終えることができず、穴が空いている。角度を変えれば中が丸見えの状態だった。トヨタマビメは、緊張感のない夫に必死に訴えかける。

「私は海の神です。赤ちゃんを産むときには海の国の姿にならなければなりません。だから願わくば……私を見ないでほしいのです」

「……そう。わかった」

ホオリは素直に引き下がり、トヨタマビメは産屋に入った。しかしホオリはそれを確認すると、産屋の方へ帰ってきた。

「怪しい。絶対に何か隠している」

日本神話 豆知識 「開けてはいけない」という玉手箱やパンドラの箱。「見てはいけない」という鶴や死んだ妻の姿。人は何かを禁止されるとかえってそれをしたくなる。この現象のことを「カリギュラ効果」という。

日本神話における２大見るなの事件

ホオリと
トヨタマビメ
ホオリ
トヨタマビメ
見る
正体は
鮫だった！
→トヨタマビメは
海の国へ
帰ってしまった。
イザナギと
イザナミ
イザナギ
イザナミ
見る
すでに
黄泉の国の
住人の姿
だった！
→イザナミは
激怒して
イザナギを
追いかけてきた。

鵜の羽で葺こうとしていた産屋は完成が間に合わなかったため、屋根に穴が開いている。そこからホオリはこっそり覗いた。

すると中には、鮫が横たわりうねって出産をしている姿があったではないか。

「ギャー！！！　鮫だーーー！！！！」

ホオリは恐ろしくなって、逃げ帰ってしまう。トヨタマビメは夫にサメの姿を見られてしまったことを知ると、とても恥ずかしがって生まれたばかりの子どもを置いたまま海の国へ帰ってしまった。

だから見ちゃダメだって言ったのに。ホオリは母親なしで世継ぎを育てることになった。女性の言う「見ちゃダメ」には理由がある。信じて待つことも大切なのだ。

日本建国伝説の旅事件

（『古事記』『日本書紀』より）

主要人物
イワレビコ
（神武天皇）

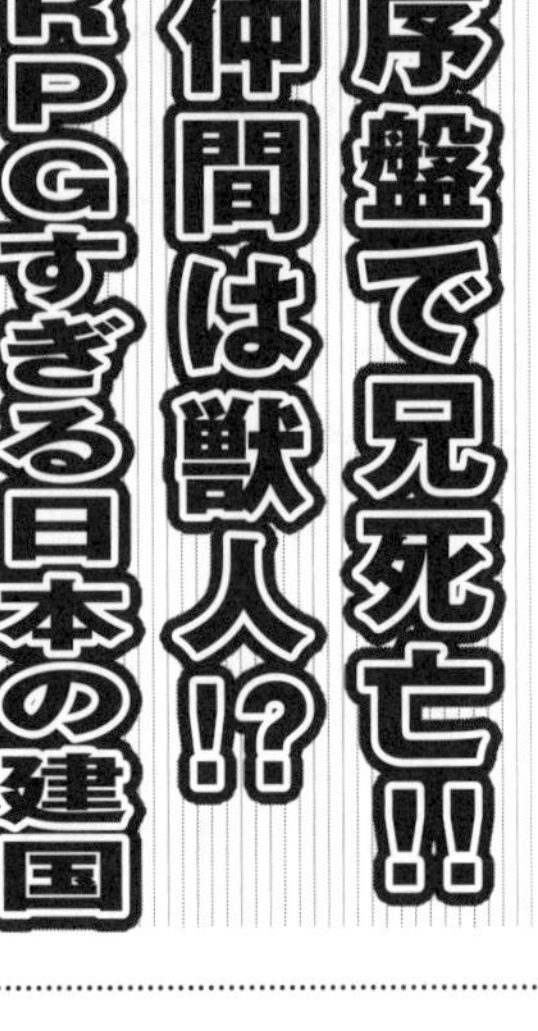

序盤で兄死亡!! 仲間は獣人!? RPGすぎる日本の建国

ある日、イワレビコと兄のイツセは高千穂宮で会議をした。

「どこに拠点を置けば、天下平等に政治の共有ができるだろう？　この日向国（ひゅうがのくに）では、日本の端っこすぎる。東へ行こう！」

これが壮大な旅立ちのはじまりだった。

ニニギが天孫降臨してから代々日向国で国を治めていたが、イワレビコと兄のイツセはより多くの人々に天津神の恩恵を与えるために、日本の中心を求めて東へ向かったのだ。しかし、海を越えて大和の地に着くとトミビコによる敵襲を受ける。兄のイツセは敵の矢によって手を負傷。一行は撤退を余儀なくされた。

しかしその道中にイツセの症状が悪化してしまう。

「うぉぉ！　あんな下賤（げせん）な奴のせいでこんなところで死ぬなんて!!」と雄たけびをあげて、死んでしまった。

大切な兄を失ったイワレビコ一行は紀伊国から迂回して大和国へ向かう。そして道中で次々と仲間を増やしていった。足が3

日本神話 ギモンと考察

あくまで個人の意見だが、神武東征の物語は本当に深く熱い。戦後の複雑な事情で初代について語れなくなってしまったことはわかるが、エンタテインメントとしても多大な損失だ。早く解禁を求む！

古事記における東征ルート

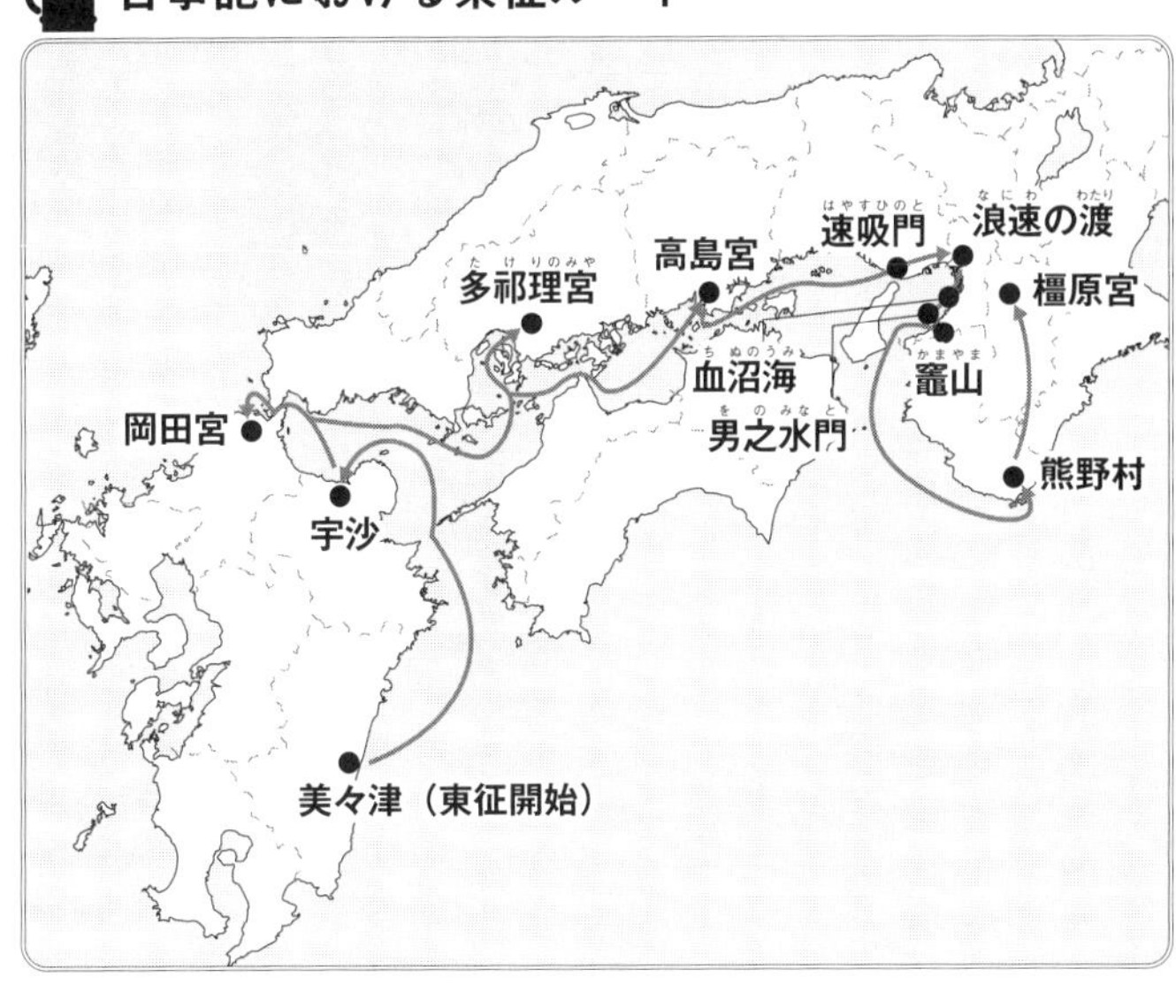

本生えた八咫烏や、漁師、獣人、敵の弟など、多様なメンバーで大和の地へ引き返し、トミビコへ再戦を挑んだ。

「兄を失った痛みは忘れない。行け、久米兵!!　敵を根こそぎ討つぞっ!!」

　イワレビコが味方を鼓舞し、開戦する。しかし接戦を強いられると、急に空が暗くなり雹が降り出した。そこへ金に輝く鳶が飛んできてイワレビコの弓の先に止まる。その鳶は稲光のように輝いて、トミビコの軍は混乱して戦意喪失してしまった。

　こうして戦いに勝利すると、イワレビコは大和の畝山の麓に橿原宮という宮殿を建て、初代・神武天皇として即位した。今ではその伝承地に、橿原神宮が建つ。

衝撃のアプローチ事件（『古事記』より）

女性の陰部を突き刺した神様!?

主要人物
オオモノヌシ

神武の忠実な臣下であるオオクメが、君主の皇后に相応しい、神の子だという女性を見つけて報告した。彼女は、三輪の神であるオオモノヌシの娘だった。

「ある日、オオモノヌシは彼女の母親に恋をしたそうです」

オオクメは語る。神武は首をかしげた。

「なぜ人と神とが結ばれたんだ?」

「オオモノヌシからのアタックです」

「ふーん。どうやって?」

「美人が大便のために川の上に設置された厠(かわや)に入ったところを、朱塗りの矢に化けて、排水溝から個室に入り込みいきなり彼女の陰部を刺しました」

神武はあまりの衝撃に唖然とする。

「え……怖っ」

オオクメは続けた。

「彼女は驚いて慌てふためきましたが、不思議に思い矢を家に持ち帰りました。すると寝室でその矢がたちまち麗しい男性に変身して、オオモノヌシの想いは成し遂げられたそうです」

日本神話 豆知識

女性の陰部は古語で「みほと」という。「み」は御で敬称。「ほ」は火・惚など熱いという意味。「と」は戸で、出入口。「熱く大切な出入口」という意味になる。参道と産道とも通じ、尊ばれていた。

他にもいる矢に化けた神様

（『山城国風土記』逸文より）

　ある日、カモタマヨリヒメが賀茂川の上流で楽しく遊んでいた。すると川上から珍しい丹塗矢が流れてきた。カモタマヨリヒメは、この不思議な矢を持ち帰り、自身の寝床の近くに置く。すると彼女は突如として懐妊し、１人の男の子を産む。この男の子はカモワケイカヅチと名付けられ、成長すると元服の祝いが行われた。

　祝宴の最中、祖父であるカモタケツヌミが「お前のお父さんにもこの酒をあげなさい」と言った。すると、カモワケイカヅチはその言葉に反応し、空へと昇り、屋根を突き抜けて天に行った。丹塗矢の正体は火雷神（ほのいかづちのかみ）だったのだ。

※この神は、オオヤマクイという説も。

「いやそれ、どんなに綺麗な言葉で包んでも、住居侵入罪および強姦罪だぞ？」

「こうして生まれた子どもは、ホトタタライススキヒメと名付けられました。それが、あなたの皇后候補の女性です」

　神武はうつむき、つらそうな声を出す。

「……ホトって、陰部って意味じゃん」

「はい。しかし、それはさすがに嫌だったみたいで、今はイスケヨリヒメと名乗っているそうです」

「そうか。それはよかった。彼女が俺の皇后になってくれたとして、なんて呼ぼうかすごく迷ったから」

　こうして、イスケヨリヒメが神の子であることを納得した2人は、彼女の元へ行き、無事に皇后になる承諾を得ることができた。

ヤマトタケル女装事件
（『古事記』より）

主要人物
オウス（ヤマトタケル）

父に認めてもらうため悲劇のヒーロー女装する！

時は流れて、13代景行天皇の時代。景行にはオウスという息子がいた。オウスは父のことを崇敬しており、言われたことはなんでも聞いた。

ある日、オウスの兄のオオウスが天皇の妻となるはずだった美人姉妹を寝取ってしまった。それからというもの、食事の席に全く顔を出さなくなってしまったので、景行はオウスに兄を諭すよう指示を出す。しかし、それでも兄の反応はない。しびれを切らした景行は、オウスを問いただした。

「なあ、オウス。お前はちゃんと兄を諭したのか？　どのように諭したのだ」

オウスは笑顔で返事をした。

「あ、大丈夫です。ちゃんと殺しておきましたよ★」「は？」「手足をもいでコモにくるんで捨てておいたんで、ご安心ください★」「あっ……あーー。わかった。じゃあオウスくんは、明日から九州の熊襲まで、反逆者の超強敵・クマソタケル兄弟を倒す旅を、死に行ってください★」「はい！　かしこまりました★」

日本神話ギモンと考察　LGBTQなど多様化の尊重とは今更だ。性別の分からない独神からはじまり、最高神アマテラスの男装もヤマトタケルの女装も盛り上がるシーンとして描かれている。あと問題は、お稚児さん。

こうして熊襲に派遣されたオウスだが、クマソタケル兄弟の家には厳重な警備が敷かれていた。そこでオウスは女装をして、屋敷で開かれた宴会に忍び込む。誰もオウスが男だとは気付かない。それどころか、美しいオウスを気に入ったクマソタケル兄弟は自分たちの隣で酒を注ぐよう要求してきた。オウスは宴会が盛り上がってきた頃合いを見て、兄の胸をグサリと刺す。

「よし次★」「え？　うわっ！」兄を目の前で殺され、逃げ惑う弟は階段を昇ろうとしたところで、尻をブスリと刺された。

「痛っっ！！！　ああ、お願いだ。まだその剣を動かさないでくれ！　死ぬ前に誰に殺されるのか知りたいんだ……」

オウスは軽くうなずいて質問に答える。

「僕は景行天皇の息子で、名前は……ヤマトの少年です」

「なるほど、そういうことか……納得した。では、西部最強の我らに勝利した君に敬意を表して我らの名を献上する。君のことは今後、〝ヤマトタケル〟と呼んで、その栄光を称えよう」

クマソタケル弟が言い終わると、オウス改めヤマトタケルはその尻をまるでよく熟れたウリのように斬って殺してしまった。

「ありがとうございますっ★」

日本の誇るサイコパスヒーロー・ヤマトタケル爆誕の瞬間である。この後、愛する父には更にドン引きされて、今度は東征も命じられることになる。

Column 日本神話こぼれ話

最高神は女神なんだし、女性も天皇になれるのでは？

古代の日本は性に寛容的だった。古くから女性が政治に参加しており、過去には女性の天皇が何人も存在ている。推古天皇は言うまでもないが、記紀が献上された元明天皇も元正天皇も共に女性である。当時は女性も天皇になれたのだ。飛鳥・奈良時代を見ると、特に女性天皇が多かった時期だが、この流れを止めたのは、称徳(しょうとく)天皇だ。彼女は自分が恋した一般人の僧侶、道鏡(どうきょう)を天皇にしようと画策した。（証拠はないが、まぁ、黒幕だろう）この事件は未遂に終わったものの、それから850年以上もの間、女性が天皇の座に就くことはなかった。天皇の仕事は「神々との関係を良好に保ち、国民の幸せを祈ること」なので、本来であれば性別が問われることはない。しかし、この歴史的な背景を知ると、現在の皇室典範で女性天皇が認められていないことや、それを変えるのが難しいことも理解できるだろう。

また、古代においても女性が天皇になるためには、「父や祖父が天皇の男系女子」か「夫が崩御した、未亡人の皇后」という条件があった。これは天皇がアマテラスの「日を継ぐ」存在でなければいけないからであり、男系でなければ日は継げない。女系は日を継ぐことができないので、天皇になりえないのだ。このルールが現代では複雑に思われ、現状では多くの政治家も理解できていないので、そんな人同士で行う議論は、ホラー映画以上に恐ろしい。無知によって神代から続く歴史と伝統が壊されないことを切に願う。

皇太子のことを「日嗣(ひつぎ)の御子」という。アマテラスの日を継ぐ子という意味だ。日を継ぐためには物実(ものざね)が必要で、男性しか物実を作ることができない。男系しか天皇になれないとされるのはこれが理由だ。

第4章

日本神話の文化

日本神話に登場する文字や呪術、アイテム、動物たち

擬音語・擬声語『古事記』に記されたオノマトペ

多彩な擬音語・擬声語

「ゴゴゴゴゴ」「ざわ…ざわ…」「どーん」など、漫画文化が発達した日本では、日頃から様々な擬音語・擬声語（オノマトペ）に触れることができます。海外にもオノマトペは存在しますが、日本は特に数が多く、4000語以上あるとされます。『古事記』の中にも多くの擬音語・擬声語が使われており、当時から繊細な状況を伝えるために用いられていたことがわかります。

例えば、イザナギとイザナミが地上に降り立ち、海に天沼矛を挿してグルグル掻き回すシーン。ここでは「こおろこおろ」という擬音語が使われています。今では馴染みのない表現ですが、二柱が矛を持って海に大きく丁寧に円を描く姿が、グルグルよりも想像しやすいのではないでしょうか。

また、イザナギがアマテラスにネックレスを授けるシーンでは、「もゆらに取りゆらかし」とあり、連なった珠が擦れて「シャラン」と響く様子を「もゆら」と表現しています。

日本神話ギモンと考察

“どんぶらこどんぶらこ”と聞くだけで、桃が流れてくる様子を思い浮かべるのは日本で育った人間のみだろう。文字が普及した後も口伝による昔話の伝承は続いたので、盛り上げる要素として増えたか？

主な擬音語・擬声語一覧

※擬音語、擬声語に近い音や様子を表現した単語も含みます。

こおろこおろ	矛を海に刺して掻き回す音
ころろ	ウジがうじゃうじゃ湧く様子
もゆらに	珠や金属がシャラシャラと鳴る音
ほらほら	ほら穴のようにガランと広い
すぶすぶ	柔らかくてズブズブ
そぶらひ	戸を揺さぶること
はたたぎ	鳥がパタパタ羽を動かし、羽ばたく様子
とをとをとをを	重すぎて机がたわむ様子。たわわたわわ
つぶたつ	ぶくぶく泡粒が立つ様子
あわさく	泡がぱちんとはじける様子
さちさち	幸幸のこと。海や山の幸がいっぱい取れる様子
ひひく	ヒリヒリ、ビリビリなど、口にひびく表現
さや	さわっと爽やかな様子

わなな	わなわな、ブルブルなど緊張で震える様子
やや	だんだん、徐々に、ほんの少しという意味
たぎたぎ	ヨタヨタ、ボロボロなど、たどたどしい様子
くさぐさ	いろいろ。たくさんの種類があること
なまなま	しぶしぶ、嫌がりながらすること
ささ	「さあさあ」と、お酒などをすすめる掛け声
すくすく	スタスタと歩く様子
さやさや	落葉樹が風にさやさやと揺れる様子
よりより	時々、事あるごとに
かわら	水を含んだ鎧が、きしんで鳴る音
さわさわ	ざわざわ騒がしい様子
たしだし	霰が笹の葉にビチビチ激しく当たる音

珠の暖かさが伝わる美しい表現です。

しかし、このように綺麗な表現ばかりではありません。例えば川から遺体を引き上げる際、遺体の着た鎧が擦れて「かわら」と鳴った、というような生々しい表現も残っています。

他にも、ぬかるんだ土は「すぶすぶ」、落葉樹が風に揺れる様子は「さやさや」など、今とあまり変わらない音も残っており、『古事記』の時代から現代まで日本語が繋がっていることを実感できます。

昔は日本に文字がなく、口伝（くでん）で歴史を伝えていました。語り部たちが語り継いできた歴史だからこそ、このように多彩な擬音・擬声の表現も残ったのでしょう。

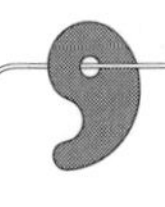

日本の呪術　聖なる言葉や祈りの言葉、占いなど

言霊信仰から生まれた呪術

漫画やドラマでは印を結んだり、呪文を唱えたり、カッコよく表現される呪術ですが、古代における呪術は素朴なものがほとんどです。しかし日本は言霊信仰の国。一見、ただのセリフに見える言葉が強力な呪術だったりします。

例えばイザナギとイザナミの「1日1000人殺す」「1日1500人産ませる」というかけ合い。ここから人々に寿命が生まれました。人が抗えない究極の呪いといえるでしょう。オオヤマツミの「天津神の御子の命はこの花のように散るだろう」という言葉からも、天津神の御子である天皇に寿命が生まれています。

他には、「誓約（うけい）」という占いがよく出てきます。これは最初に物事のルールを決めて、真実を占うもので、例えば、アメノワカヒコが高天原を裏切ったかわからなかった際、タカミムスヒが「裏切ったなら、この矢がワカヒコの胸を打ち、無実ならその辺に落ちるように」と唱えて矢を打ちました。するとその矢は、ワカヒコの胸に当たり死んでしまいま

日本神話 豆知識　漫画『呪術廻戦』によって古代の呪術が注目されているが、神話時代の呪術は地味だ。占い（お告げを含む）の方が盛んで、夢で神の言葉を乞うたり、鹿の骨を焼いた亀裂で占ったり、レパートリーが多い。

天岩屋戸神話に登場した占い

神話の時代の呪術として「占い」が盛んに行われた。天岩屋戸神話では、アマテラスを岩屋戸から出すために、占いの神・フトダマが占いを行ったという。（65ページ参照）

アマテラスの姿を映すための鏡（八咫鏡）を持つ祝詞・言霊の神アメノコヤネ
岩屋戸に張るためのしめ縄を持つ占いの神フトダマ

した。ワカヒコの裏切りが、誓約によって、暴かれてしまったのです。

また一章に出てきた、海幸彦と山幸彦の神話にも呪術が色濃く見られます。ホオリ（山幸彦）は、兄のホデリ（海幸彦）に対して、「此（こ）の鉤（はり）は、オボ鉤、スス鉤、貧鉤、ウル鉤」と言いながら後手に渡すという、一連の儀式を行いました。すると、この呪いのせいで兄は貧しくなります。

さらに、怒って襲ってきた兄を溺れさせるために、ホオリは塩盈珠（しおみつたま）という呪具を使いました。ホデリの周りには潮（海水）が満ちて、窒息死しかけます。ホデリが降参した際にも、潮を引かせたのは、塩乾珠（しおふるたま）という呪具です。まるで魔法のように海水を操れる呪具だったのでしょう。

神代文字　実在したか不明な古代日本の文字

謎めいた神代の文字

神代文字とは、古史古伝などに見られる、日本に漢字が入ってくる以前に日本にあったとされる、文字のことです。ヲシテ文字（ホツマツタヱ）、カタカムナ文字（カタカムナ文献）、天名地鎮、豊国文字（竹内文献）などが有名です。いずれも江戸時代に発表されたため、偽書といわれる古史古伝による記述がほとんどですが、ご神体や石碑にも文字が刻まれていることがあり、真偽の議論が鎌倉時代まで遡れるものもあるそうです。

中でもカタカムナ文字は発表が新しいため、当時の詳細な証言が残っています。1949年、物理学者の楢崎皐月さんが兵庫県の金鳥山で大地電気の研究を行っていたところ、平十字さんという猟師に出会いました。彼の父親がカタカムナ神社の神主で、天孫族に滅ぼされたアシア族がご神体としたカタカムナ文献を代々守っていたそうです。楢崎さんはそのカタカムナ文献を解読して、世に発表しました。今のところ、平十字という苗字を持つ方や、カタカムナ神社・文献は発見されていませんが、書くだけ・かざすだけで開運が

日本神話 豆知識　スピリチュアル系や宇宙との交信にご興味がある方にオススメなのはカタカムナ文献。都市伝説がお好きな方にオススメなのは、竹内文書。歴史創作をされている方にオススメなのは、ホツマツタヱ。

様々な神代文字

文字	発見場所	発見時期	利用個所	別名	採録
アイノ文字	北海道	1886年	自然石	アイヌ文字、北海道異体文字	落合直澄著『日本古代文字考』
天名地鎮	鹿児島？	1800年代	土器？	天妙地鋭、阿奈以知	薩摩藩編纂『成形図説』、平田篤胤著『神字日文伝』
阿比留草文字	佐賀・長崎（肥）	平安期以前？	阿伎留神社、神璽や守符		平田篤胤著『神字日文伝』
阿比留文字	対馬	1700年頃	阿比留家の文書	日文四十七音	平田篤胤著『神字日文伝』
阿波文字	徳島（阿波）	1700年代	大宮八幡宮		藤原充長著『神名書』、宮谷理然著『かむことのよそあり』
出雲文字	出雲	1600年代	書島の洞窟		橘三喜記　岩壁の写し、平田篤胤著『神字日文伝』、宮地堅磐著『禁厭秘辞』
カタカムナ文字	金鳥山	1949年	カタカムナ文献	カタカムナノウタヒ	楢崎皐月著　カタカムナ文献の写本
太子圧尺銘	法隆寺	1800年代	剣		平田篤胤著『神字日文伝』
筑紫文字	福岡（筑紫）	1800年代	重定古墳	重定石窟古字	平田篤胤著『神字日文伝』
対馬文字	対馬	1800年代	雷神社		平田篤胤著『神字日文伝』
豊国文字	大分（豊国）	1837年	『上記』など	神宮文字	大友能直編纂『上記』
ヲシテ	不明（全国出版）	1779年	『ホツマツタヱ』など	ホツマモジ	溥泉著『春日山紀』
琉球古字	沖縄	1886年	『琉球神道記』		神谷由道記『東京人類学会報告』

得られるということで、今でも根強い支持者がいらっしゃいます。

また一部の神社では、神代文字の御朱印や御札をいただくこともできます。国学の四大人の一人で、神代文字の筑紫（つくし）文字を広めた平田篤胤（ひらたあつたね）を祀る平田神社（東京都渋谷区）では、その研究対象であった筑紫文字の御朱印を受けることができます。

東京都新宿区にある成子天（なるこてん）神社では、通常御朱印に加えて、見開きで御朱印を依頼すると、神代文字の御朱印をいただくことができます。

他にもいくつか神代文字を扱っている神社があるので、ぜひ調べてみてください。漢字とは一味違った趣きを感じられます。

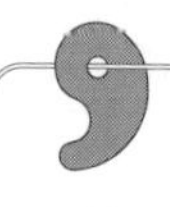

動物・人外　日本神話に登場する怪物・眷属（けんぞく）・武器・装飾品

神々と関わる怪物や動物、そして人ならざる者

日本神話には、怪物や獣人、神使（しんし）（眷属）のように、神様や人間の他にも多くの魅力的なキャラクターが登場します。

【神話上の生き物】

黄泉の国では黄泉醜女（よもつしこめ）や黄泉軍（よもついくさ）といった、ゾンビのような存在がイザナギを襲い、八岐大蛇も頭が８つ、尾が８つあり、怪異的です。またアメノトリフネという神様は、舟でありながら、鳥であり、人であるという、想像を掻き立てられる存在です。『日本書紀』ではトヨタマビメの正体が龍神であったり、神武東征の章では尾の生えた人が登場するなど、人とは一味違う神秘的な存在から、八岐大蛇のような巨大怪物まで、日本神話には、様々なキャラクターが織りなす世界が広がっています。怪物や、擬人、変化（へんげ）といった多くの人ならざる者が、古くから受け入れられてきたことがうかがえるでしょう。

日本神話 豆知識　神使と眷属の違いは明確にないものの、神使は神道由来であり、神のお告げをする動物。眷属は仏教由来で、神に仕える動物とされている。神に従い、働きがあった動物を眷属とすることが多い。

【動物】

神々と動物との会話も多く見られます。「因幡の白兎」に出てきた兎や、鮫とのやり取りは、全て人の言葉ですし、動物からは少し外れますが、国造りの章では、オオクニヌシの質問に蛙と、カカシまでが答えています。

また、天上界の高天原と地上界の葦原の中つ国の交流には、鳥の遣いが必須です。言葉を話す雉や、葬儀の手伝いをする鳥たち。さらに不思議なことに、高天原からの遣いである、八咫烏（やたがらす）や金鵄（きんし）は、神武天皇が即位した後に人の子孫を残し、賀茂氏の祖神（おやのかみ）となっています。神と人との境目が曖昧だったように、人と動物の境目も曖昧な時代だったのです。

【神使（眷属）】

神使（眷属）とは、神様に使える霊獣（れいじゅう）のことです。神話の中で神様を助けたり、現世において神様の意思を伝えるために使者として派遣されたりしたことが由来となり、神社などで見かけることがあります。特に、稲荷神社の狐は有名ですね。神使は神社の境内（けいだい）に放し飼いにされていたり、狛犬（こまいぬ）のような像があったりします。

次ページからは、日本神話に登場する様々な動物や、神使・眷属、また、日本神話において重要な武器やアイテムなどをご紹介します。

鳥

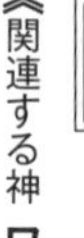

《関連する神 **ワカヒコ**など》

日本神話には様々な鳥が出てきます。天上の高天原と地上の葦原の中つ国の間でやり取りをするためには鳥が必要だと考えられていたからです。ワカヒコの葬儀が行われた時には、雁(かり)、鷺(さぎ)、翡翠(かわせみ)、雀(すずめ)、雉(きじ)がそれぞれ手伝いを行いました。鳥たちとの距離が現代よりずっと近かったことがわかります。

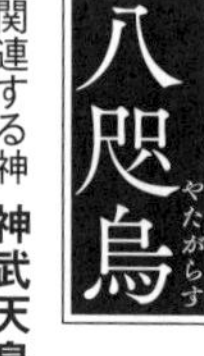

八咫烏(やたがらす)

《関連する神 **神武天皇**》

3本足の烏として有名です。サッカー日本代表のエンブレムや、熊野大社のシンボルとしてもよく見ます。しかし、3本足のイメージは平安時代の歴史研究者による説であり、記紀の時代には大きな（八咫）烏として認識されていました。また、頭八咫烏とも表記され、後々人の子孫を残していることから、黒づくめで頭に大きな被り物を被る文化があった熊野の原住民という解釈や、十津川の住人が八咫烏の子孫ではないかともいわれています。

金鵄(きんし)

《関連する神 **神武天皇**》

金色の鳶です。神武東征の折に、苦戦を強いられていた神武軍を助けました。神武天皇の持つ弓に金の鳶が留まり光り輝く絵図はどこかで見たことがあるのではないでしょうか。金鵄も八咫烏同様、賀茂(かも)氏の先祖とされているため、同一視されることもあります。

日本神話ギモンと考察

都市伝説に、秘密結社「八咫烏」というものがある。藤原氏の政権占拠に対抗するため聖武(しょうむ)天皇の密命を出し、八咫烏の子孫である賀茂氏が結成したのがはじまりとか。マニア心をくすぐる。

日本神話に登場する 動物

雉

《関連する神 アメノワカヒコ》

出雲に降りたアメノワカヒコが帰って来なかったことを怪しんで、高天原から派遣された鳴女は、雉でした。喋ることができる雉で、ワカヒコになぜ8年経っても帰ってこないのか問います。この時、たまたま居合わせたアメノサグメに「ひどい声の鳥は、射殺すべきだ」と言われたことで、ワカヒコは鳴女を射殺してしまいました。鳴女が帰ってこなかったことから、「雉の頓使い」という帰ってこない使者を指す諺が生まれました。また、無責任な助言をしたアメノサグメは「天邪鬼」のルーツとされています。

鵜

鵜は食事のシーンにしばしば登場します。国譲りのシーンでは、タケミカヅチをもてなすために、クシヤタマという神が鵜に変身して魚を捕りに行きました。

鵜に魚を獲らせる鵜飼漁は古代からあり、神武東征の折では、ニエモツノコ（贄〈食べもの〉を持つ子という意味）が鵜飼として仕えます。そして現在、鵜飼は宮内庁式部職鵜匠という宮内庁に属した国家公務員になっています。記紀の時代から続く伝統的な職業を、公務員として守り続けているのです。

日本神話に登場する動物

《関連する神 オオナムチなど》

「因幡の白兎」で有名です。戦後、日本神話の教育は一時期禁じられ、長い間、教科書には掲載されませんでしたが、平成23年になって、ようやく小学校の教科書で「いなばのしろうさぎ」が復活しました。

また、ウジノワキを祀る宇治神社では、何度も見返りながらウジノワキの道案内をした「みかえり兎」の伝説で愛されています。

《関連する神 ヤマトタケル》

ヤマトタケルは、伊吹山の白猪によって亡くなりました。映画『もののけ姫』に登場する乙事主も巨大な白猪ですね。猪は皇子を殺したり、天皇を襲ったり、狩りの対象であるとともに、命を奪う山神として畏れられました。

蛙

《関連する神 オオクニヌシ》

オオクニヌシがカムムスヒの子であるスクナビコナを拾った時、正体がわからなかったので、蛙に質問をしました。出雲神話では、動物との会話が多く出てきます。またこの時、カカシにも質問しています。カカシは動けない分、頭がいいと考えられていました。

日本神話 豆知識

神道では白と黒が最も尊い色とされており、日本神話に出てくる動物も白は特筆事項として記される。ヤマトタケルの章では、白鹿の神を殺すと呪いで道に迷ったが、白犬が助けたという記述が残る。

日本神話に登場する 動物

《関連する神 **オオモノヌシ**など》

八岐大蛇もそうですが、蛇は川などを表す水神の象徴です。『古事記』では、猪神の呪いにかかって亡くなってしまったヤマトタケルでしたが、『日本書紀』では蛇神に呪われました。他にも、ヤマトトトヒモモソヒメの元に通っていたオオモノヌシの正体が蛇だったという神話があります。オオモノヌシは三輪山がご神体ですので、山との繋がりも深いです。山中を流れる川や滝が神格化したのかもしれません。

《関連する神 **オオナムチ**など》

「和邇（ワニ）」とも表現されますが、ワニとは「口が大きい」という意味ですので、鮫と解釈することが一般的です。「因幡の白兎」でも、鮫の上を兎が飛び越えていく姿が描かれていることが多いですね。実は今でも、山陰の内陸部では鮫のことをワニと呼び、ワニ料理は郷土料理として今も親しまれています。山幸彦の神話では海の国へ行くため、特に鮫の登場が多くあります。海の国の住人の本来の姿は鮫といい、山幸彦の息子のウガヤフキアエズも、海の住人であるタマヨリビメを娶っているので、初代神武天皇の75%は鮫なのかもしれません。

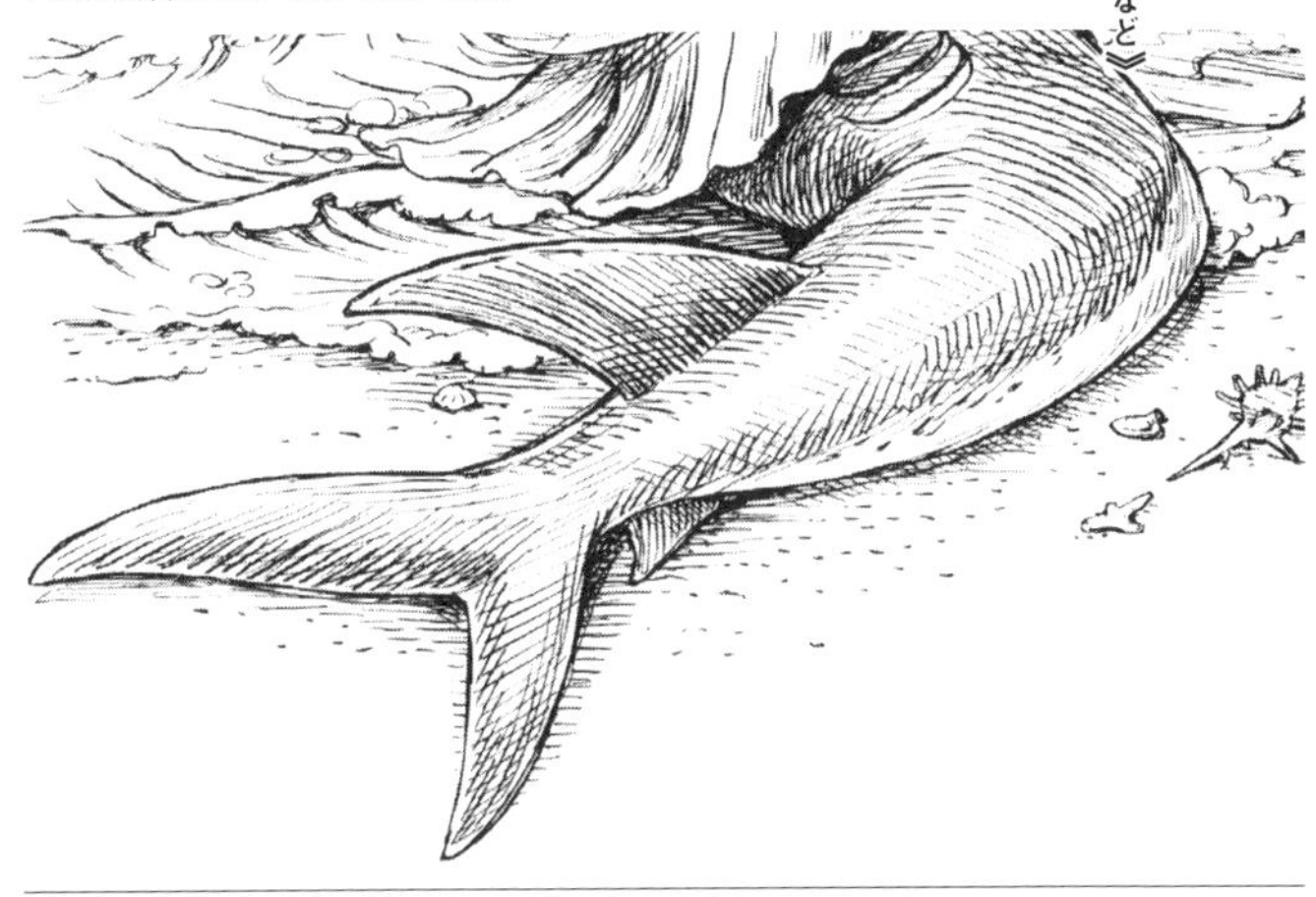

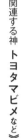

《関連する神 **トヨタマビメ**など》

『古事記』に龍の記述はないのですが、『日本書紀』には何度か出てきます。『古事記』では出産の折に鮫の姿になったトヨタマビメは、『日本書紀』では龍神になったといいます。龍といえば中国で王の象徴ですので、『日本書紀』には『古事記』より中国の思想が入っていることがわかります。八岐大蛇も、龍の見た目で描かれることがあり、蛇と龍は水神として古くから信仰されてきました。他にも斉明天皇（歴史の編纂を命じた天武天皇の母）の時代に、「龍に乗って空を飛んでいる人がいた。唐人のような顔立ちだった」という記述もあり、飛鳥時代に至ってもまだ歴史の中にファンタジーの要素が残っていたことがわかります。

日本神話ギモンと考察

『日本書紀』は唐に日本が自立した独自国家であるとアピールするために作られたという。『古事記』では鮫だったトヨタマビメが龍になった件は、「盛りましたよね？」と、舎人親王に問いたい。

日本神話における 神使・眷属

狐

《主人 ウカノミタマ》

お稲荷さんで有名な眷属です。お稲荷さんはウカノミタマの眷属である狐が境内を守っています。ウカノミタマは食物の神でありお米の神様なので、秋の収穫の季節に山から下りてくる狐がウカノミタマの遣いといわれるようになり、眷属として定着しました。また、食物神（ミケツカミ）の漢字に三狐神という文字が当てられたことも理由と考えられています。

鶏

《主人 アマテラス》

アマテラスが太陽の神様なので、太陽が昇るときに鳴く鶏はピッタリの神使ではないでしょうか。天岩屋戸神話の際にもアマテラスの気を引くために常世長鳴鳥（鶏）が使われています。アマテラスが祀られる伊勢の神宮には鶏が放し飼いにされているので、訪れた際にはぜひチェックしてみてください。また、石上神宮でも鶏が放し飼いにされていますが、あちらは神使だからというわけではなく、50年程前に奉納された鶏が自然繁殖したもの。参拝者に愛されています。

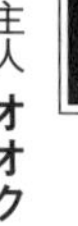

《主人 オオクニヌシ（大黒天）》

スサノオが放った火から逃れる際に、鼠が火を凌ぐための洞穴をオオナムチに教えたことが眷属の由来です。

鼠がオオナムチに持ってきた鏑矢の羽は子鼠たちがみんな噛んでしまっていたという、可愛らしいエピソードも残っています。

その後、オオクニヌシが大黒天と同一視され、北の神様である大黒天が十二支において「子（ね）」に当たるため、米俵と鼠がセットで描かれるようになりました。

《主人 タケミカヅチ》

奈良と聞いて真っ先に思いつく動物といえば、鹿ではないでしょうか。実は奈良公園の鹿も神使なのです。春日大社に祀られているタケミカヅチは、元々茨城の鹿島神宮に鎮座していたのですが、奈良に勧請する際に、タケミカヅチの要望で、鹿に乗って移動することになりました。この時にタケミカヅチが乗った鹿の子孫が奈良公園の鹿たちであり、2023年の最新研究によれば、この鹿たちは独自のDNAを持っていることが証明されました。まさか、神話の世界の話が最新の科学で証拠を得るとは、ロマンです。

《主人 オオクニヌシ》

海蛇は龍神ともセグロウミヘビともいわれますが、セグロウミヘビは神無月の時期になると稲佐の浜に打ち上げられることが多く、出雲大社に神様を迎える儀式の際に利用されるところから、神使となりました。出雲大社の神紋は亀甲模様なのですが、こちらの由来もセグロウミヘビの尻尾の亀甲模様が由来となったとされています。

日本神話伝承地

奈良公園の鹿は飼いならされているように見えるが、実は野生動物だ。襲ってくることもある。また、鹿せんべいの売上は鹿の保護活動に使われているので、行動に注意しながら楽しく触れ合おう。

日本神話における 神使・眷属

《主人 八幡神（応神天皇）》

鎌倉といえば、やはり鳩サブレではないでしょうか。応神天皇が祀られている多くの八幡宮の「八」の字には二羽の鳩の姿があしらわれています。これには石清水八幡宮を創建した際に金の鳩が出現したことや、鳩が戦いの際に源氏を勝利に導いたなどの由来があります。また八幡の「幡（ハタ）」が「ハト」に訛ったのではないかという説もあります。

《主人 スサノオ》

ルーツは八咫烏ですが、熊野大社の御祭神がスサノオであることから、熊野で神武天皇を導いた烏がスサノオの神使になりました。記紀においてはスサノオと烏の接点はないので、神話や歴史の奥深さを感じます。

また、スサノオは出雲神話のイメージが強いかもしれませんが、記紀においても「根の国」に住んでおり、その入口が「紀伊国（木の国）」つまり和歌山県の熊野にあったとされています。神武天皇に八咫烏を遣わせたのはスサノオだったのではないかという説もあり、紀伊国とスサノオは深い関係にあります。

狼

《主人 ヤマトタケル》

東京都青梅（おうめ）市にある武蔵御嶽（むさしみたけ）神社には御祭神のヤマトタケルの眷属である、オオカミの伝説が残っています。東の地を平定していたヤマトタケル一行ですが、ある日山奥で道に迷ってしまいました。それを白狼（はくろう）が導き、一行は山を越えることができました。この時ヤマトタケルが白狼に、「災いを防いでこの地を守護するように」と命じます。白狼はその言いつけを守って武蔵御嶽神社に留まりました。『日本書紀』などにも類似する神話が残っています。今ではその白狼は「おいぬ様」「御眷属様」と呼ばれ、武蔵御嶽神社や埼玉県秩父市の三峯（みつみね）神社などで親しまれ大切にされています。

日本神話に登場する　神宝・武器・防具

十種神宝

《持ち主　ニギハヤヒ》

饒速日命が、神武天皇に献上したと伝わる神宝です。沖津鏡、辺津鏡、八握剣、生玉、死反玉、足玉、道反玉、蛇比礼、蜂比礼、品物比礼の10種で、いずれも、神的な力を持つとされます。特に死反玉には死者を蘇らせる力があるとされており、十種神宝の神秘性を高めています。

玉津宝

《持ち主　垂仁天皇》

新羅の皇子であるアメノヒボコが垂仁天皇に献上したとされる神宝です。文献によって内容の違いがあり、十種神宝と内容が重なるところもあります。海を安全に渡るために波を制御する比礼や、海の様子を見る鏡などがあります。

三種の神器（八咫の鏡・八坂瓊曲玉・草薙剣）

《持ち主　歴代天皇》

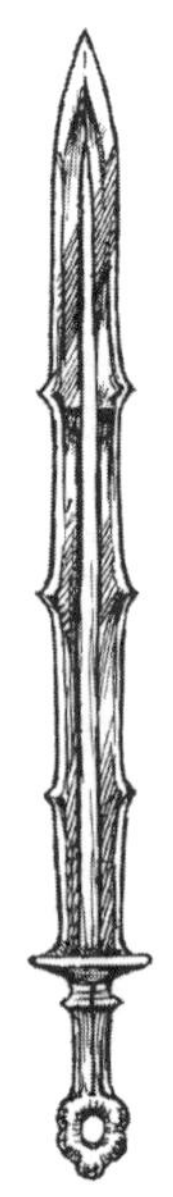

三種の神器は、天孫降臨の際にアマテラスがニニギに授けた神聖な神宝です。八咫鏡（大きな鏡）、草薙剣（別名：天叢雲剣）、八尺瓊勾玉（大きな勾玉か長く連なった勾玉）からなり、今も引き継がれる貴重な宝。剣璽とも呼ばれます。

漫画『呪術廻戦』に登場するメインキャラクターの一人、伏黒恵の使う術“十種影法術”のモチーフは、ニギハヤヒの「十種神宝」ではないかと考えられる。十種神宝を示す記号が額などに見える。

日本神話に登場する　神宝・武器・防具

八咫鏡は天岩屋戸隠れの際にアマツマラとイシコリドメが作ったとされる鏡です。「八咫」は具体的な数ではなく「非常に大きい」という意味ですが、円周が約147センチメートルほどの鏡ではないかといわれています。

天孫降臨の際に、アマテラス自身の御魂として祀るよう神勅がありました。現在は伊勢神宮に祀られています。

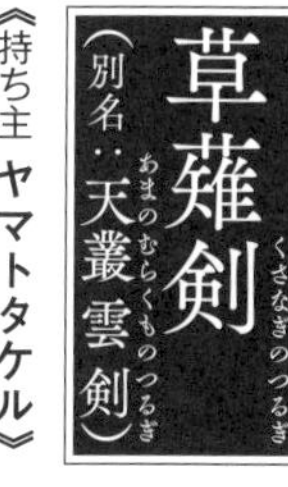

草薙剣
くさなぎのつるぎ
（別名：天叢雲剣）
あまのむらくものつるぎ
《持ち主　ヤマトタケル》

草薙剣は、スサノオが出雲国で八岐大蛇を退治した時に、大蛇の体内から切り出されました。スサノオはそれをアマテラスに献上し、アマテラスはニニギに託して、ニニギと共に地上に降ります。

やがて景行天皇の時代になり、東征に向かうヤマトタケルに草薙剣が託されました。この時、敵の放った火に囲まれピンチに陥りますが、「剣が自ら抜け出て草を薙ぎ払い、火から逃れられたことから草薙剣と名付けられた」とされます。ヤマトタケルの死後、草薙剣は妻のミヤズヒメが守り熱田神宮の起源となりました。

また、草薙剣を含む三種の神器には形代というレプリカが存在します。源平合戦の壇ノ浦の戦いによって関門海峡に沈んだものは、この形代です。その後剣の捜索を行いましたが、見つけることができなかったため、伊勢神宮から献上された剣に草薙剣の御霊を分霊し、新たな形代としました。

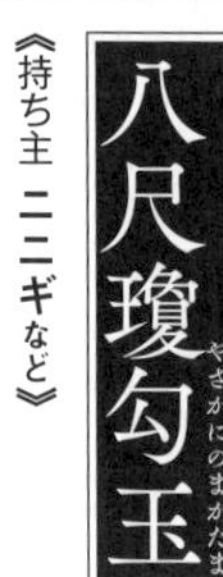

《持ち主 ニニギなど》

八尺瓊勾玉は勾玉のアクセサリーのことです。「八尺」は大きさなので、直径147センチほどの大きな勾玉とも、その長さに連なったアクセサリーともいわれます。「瓊」は赤い玉を示すため、メノウなどの赤い石を集めて作られたものと推察できます。

《持ち主 イザナギなど》

十拳剣は古代の一般的な剣で、「太刀」や「直刀」のように剣の種類を表す言葉です。八と同じく十も大体の数字なので、正確な長さではありませんが、拳十個分なので、だいたい80センチほどの長さの剣を指します。

天之尾羽張（あめのおはばり）

《持ち主 イザナギ》

天之尾羽張はイザナギの所有する神剣で、ヒノカグツチを斬る際に使用されました。

そのヒノカグツチの血から生まれたタケミカヅチは、天之尾羽張神の子ども（『古事記』）もしくは子孫（『日本書紀』）とされています。

日本神話豆知識

タケミカヅチが稲佐の浜で剣先に座ったとされる、布都御魂剣。なんと今も実在している。石上神宮の禁足地に埋められたご神体を明治時代の大宮司様が掘ってしまったのだ。嬉しい半面、複雑だ。

日本神話に登場する

神宝・武器・防具

天羽々斬（あめのはばきり）

《持ち主　スサノオ》

スサノオが八岐大蛇を倒した時に使っていた剣です。『古事記』には十拳剣としか記載がありませんが、『日本書紀』や『古語拾遺』にこの名前が残っています。大蛇の尾を斬った際に、草薙剣に当たってかけてしまいました。「羽々」とは、古語で大蛇という意味です。八岐大蛇を斬ったことで、十拳剣に名前がつけられたのでしょう。

布都御魂剣（ふつのみたまのつるぎ）

《持ち主　タケミカヅチ》

タケミカヅチが葦原の中つ国を平定した際に使用した剣です。神武東征では一行が熊野山中で熊野毒気（どくけ）にあたり眠りについた時、熊野に住む高倉下（たかくらじ）が、タケミカヅチから授かった布都御魂剣を持って、神武天皇に献上しました。その剣の霊力によって軍勢は毒気から目覚めることができたといいます。布都御魂剣は現在、石上神宮に祀られています。

七支刀（ななつさやのたち）

《持ち主　神功皇后》

剣身の左右に段違いに3本ずつ、6本の枝刃を持つ枝のような形の剣です。漫画『鬼滅の刃』で炭治郎の父が神楽を舞う際に持っていた剣は、七支刀がモチーフかもしれません。七支刀は百済からの贈り物で、倭国との同盟を記念して神功皇后に献上されました。神功皇后の孫である、仁徳天皇が皇子時代に腰に差していた剣について、「冬の枝のようにさやさや」と歌った歌が残っており、七支刀ではないかとされています。

日本神話に登場する 神宝・武器・防具

天沼矛（あめのぬぼこ）

《持ち主 **イザナギ、イザナミ**》

　イザナギとイザナミが別天津神から授かった神宝。天沼矛で海を掻き混ぜると、矛から滴り落ちた潮が、積もってオノゴロ島となりました。地を固める力があります。高千穂峰の山頂に刺さった、天逆鉾とも同一視されますが、天逆鉾はオオクニヌシが平和を願ってニニギに託したものだという伝説があります。

塩盈珠と塩乾珠（しおみつたま／しおふるたま）

《持ち主 **ホオリ**》

　潮を満ちさせる力を持つ塩盈珠と、潮を引かせる力を持つ塩乾珠というふたつの珠のことです。ホオリが海の国から陸に帰る時に、養父のオオワタツミに持たされました。ホデリが攻めてくると、ホオリは塩盈珠によって溺れさせ、ホデリが詫びると塩乾珠によって救ってやりました。

天之麻迦古弓と天之波波矢（あめのまかこゆみ／あめのははや）

《持ち主 **ワカヒコ**》

　高天原で作られた特別な弓矢のことです。天之波波矢は、時代の違うアメノワカヒコや神武天皇のエピソードに登場するため、特定の弓矢ではなく、高天原で作られた神聖な弓矢全般を指すとされます。

日本神話 伝承地

高千穂峰の天逆鉾は、誰がいつ挿したものなのか、全く不明だそうだ。しかし、坂本龍馬が引き抜いた天逆鉾は噴火で折れてしまい、現在はレプリカが設置されている。それでも足を運びたい魅力がある。

終章

現代に息づく日本神話

日本の文化、風習など

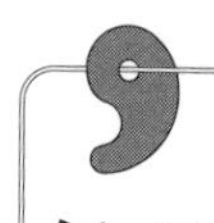

日本神話の伝承地

いたるところにいる日本の神様たち

日本神話と神社

日本神話は早く知れば早く知るほど、深く知れば深く知るほど人生が楽しくなります。というのも、我々が住んでいる日本には数多くの伝承地が残り、日本そのものを大きなテーマパークとして冒険するような体験ができるからです。伊勢、出雲、日向など、神話の地巡りはもちろん、国内旅行であれば必ず近くに神社があります。そこに祀られている御祭神様はどなたか、なぜそこにいらっしゃるのか。毎回新たな発見があることでしょう。

また、お願い事をしに神社に行くなら、どの神様に会いに行こうか。恋愛成就ひとつとっても、モテまくりたいならオオクニヌシ様がいいし、結婚したいならオオヤマツミ様の方が親身に対応してくれそうだとか、自分の美意識を高めるためにサクヤヒメ様に会いに富士山に登ってもよいでしょう。日本の神様は個性豊かで、それぞれ得意不得意がありま す。何か決まったお願い事があるなら、そのお願い事を叶えるのが得意な神様を探すとよいでしょう。他にも、本書を読んでいて、フィーリングが合いそうな神様に出会えたら、

日本神話 豆知識　出雲大社を守る出雲国造（いずものくにのみやつこ）家は、アマテラスの次男・アメノホヒの末裔である。出雲国造が代替わりする際は、火継（ひつぎ）式と呼ばれる儀式が行われ、特別な火で作った食事で、アメノホヒの御魂を取り込む。

神棚を置けば、神様をお持ち帰りできる。

ぜひ調べてみてください。必ずどこかに祀られています。そして失礼な言い方にはなってしまいますが、面白いことに気に入った神様は自宅にお持ち帰りできるのです。それが神棚です。

神棚に祀る神様（神社）は3種類。神宮のアマテラス様と、家の近くの氏神様と、自分が好きな崇敬神社の神様です。このため、神棚のお札は3体お祀りできるようになっています。さらに崇敬神社は複数あっても問題ないので、重ねてお祀りして大丈夫です。ただ、年に1回は、見守ってくださっているお礼をしたいので、ある程度の頻度で行ける神社がいいですね。

日本神話は今も生きている伝統なので、様々な楽しみ方ができるのです。

日本神話と名前

ここで少し怪しい話を挟みますが、実は私、神の末裔なのです。神の末裔を名乗るような人は、天皇か新興宗教の教祖様くらいしかいないので惑われてしまうかもしれませんが、小野寺氏は藤原氏の末裔です。そして、藤原氏の始祖は天岩屋戸神話に登場したアメノコヤネですので、自動的に私も神の末裔ということになります。

藤原氏の末裔は日本全国にたくさんいます。日本で最も多い苗字である佐藤さんなど、苗字（姓）の最後に「藤」のつく苗字は同じ藤原氏の末裔といわれていますので、皆さんも私と同じ、アメノコヤネの末裔です。「〇藤」さんだったら、きっと知り合いにいるでしょう。こう聞くと、ぐっと神様が身近に感じられませんか？

さらに、鈴木さんや高橋さんは、穂積氏や物部氏の子孫とされています。その始祖は、映画『千と千尋の神隠し』に登場するハク（ニギハヤミコハクヌシ）のモデルになった神様、ニギハヤヒです。もしかすると、あなた自身やあなたの周囲の誰かも、神様の末裔かもしれないのです。まるで、『ダ・ヴィンチ・コード』の世界観が一般家庭で味わえる、八百万の神々が住まうと伝わる、日本ならではの現象といえるでしょう。もし気になったら調べてみてください。面白い発見があるかもしれません。

日本神話ギモンと考察　日本の歴史は長い。神話の時代から仏教伝来、神仏習合を経たまでは良かったが、明治の神仏分離と戦後のGHQの占領による左右両極端な流れの遮断がある。明治前まで情報を辿れると楽しい。

オススメ 聖地巡礼スポットまとめ!

オススメの聖地巡礼スポットを以下にまとめた。まだまだ書き足りないが、記紀神話を知ると日本中が聖地まみれになり人生が楽しくなるので、早めに得たい知識だ。

神様	聖地スポット	解説
イザナギ	伊弉諾神宮（兵庫県）	記紀で一番最初に生まれた子である淡路島にある神社。イザナギが隠居した場所。淡路島は二柱の最初の子どもで、数多くの聖地がある。
	多賀大社（滋賀県）	イザナギの隠居先の伝承地は2か所あり、もうひとつがこちら。近くの杉坂峠には、イザナギが地元民から献上された粟飯を食べ終わった後の箸が成長したという三本杉が生える。
イザナミ	黄泉比良坂（島根県）	『古事記』に「黄泉比良坂は、伊賦夜坂である」という記述があり、その伝承地。神社の鳥居とは違う、雰囲気のあるしめ縄がかけられている。
アマテラス	伊勢神宮（三重県）	正式には「神宮」。ヤマトヒメと共に、自分の祀る場所を求めて各地を回った。伊勢は「都から遠いけど、美しいここがいい！」と言った場所。
	元伊勢（各地）	「元伊勢」とは、ヤマトヒメとアマテラスが伊勢にたどり着く前に、視察で回った場所。あまりにも多く、ヤマトヒメの苦労がうかがえる。
オモイカネ	天安河原（宮崎県）	高千穂の天岩戸神社の奥で流れている川は、「天安河原」と呼ばれている。アマテラスの岩屋の外に出す作戦を立てた場所で、神秘的。
スサノオ	須賀神社（島根県）	東京四谷の須賀神社も映画『君の名は。』の聖地として有名だが、島根雲南の須賀神社が元である。スサノオが「清々しい！」と思ったので、須賀。
オオクニヌシ	出雲大社（島根県）	「私が隠居する代わりに、高天原に届くくらいの大きな神殿を建てるように」という条件で建てさせた。一説には96ｍあったとも。
兎神	白兎神社（鳥取県）	オオナムチとヤガミヒメが結ばれる予言をしたことから、縁結びのパワースポットとなっている。白兎にちなんだ可愛らしい開運グッズがたくさんあり、女性に人気の高い神社。
タケミカヅチ	鹿島神宮（茨城県）	神武東征の折、タケミカヅチの布都御魂剣にピンチを救われたことから、神武天皇元年に創建された。フツヌシを祀る香取神宮もおすすめ。
タケミナカタ	諏訪大社（長野県）	タケミカヅチとの戦いに敗れて、籠ったとされる地。御柱祭で有名。諏訪湖の氷が割れる御神渡りは、タケミカヅチが妻のヤサカトメに会いに行った足跡だという。温暖化で最近は通う頻度が少ない。
ニニギ	高千穂峰（宮崎県）	高千穂峰は登山が必要だが、頂上の天逆鉾は見に行きたい。麓にはニニギを祀る霧島神宮がある。「天孫降臨」の伝承地は2か所あるので、高千穂峡もぜひ。美しい。近くの槵觸神社が伝承地だ。
アメノウズメ	荒立神社（宮崎県）	ウズメとサルタヒコの結婚を受けて、慌てて宮殿を建てたため、荒立宮と名付けられた。小さな神社だが、拝殿内の絵画は美しい。夫婦円満や縁結びのご縁がある。稗田阿礼を祀る奈良の賣太神社もぜひ。
サルタビコ	猿田彦神社（三重県）	ニニギを高千穂まで案内したサルタビコは、出身の伊勢に戻ることを望み、アメノウズメと帰った。実は記紀に二柱の結婚は書いていないが伝承が多い。現在もサルタビコの子孫が宮司をしている。
コノハナサクヤビメ	浅間大社（静岡県）	「木花」は桜のことを指すといわれており、浅間大社にはそれにちなんだ500本もの桜の木が植えられている。新倉浅間公園では桜と五重塔と富士山の写真スポットがある。
ホオリ（山幸彦）	青島神社（宮崎県）	ホオリが海の国から帰ってきてから建てたとされる宮の跡。南国の雰囲気が魅力的。山幸彦と海幸彦の神話にちなんだ埴輪がならび、可愛い。海幸の神なのに、山に追いやられた海幸彦の潮嶽神社もぜひ。
ウガヤフキアエズ	鵜戸神宮（宮崎県）	崖に沿って建つ神社で、本殿が洞窟の中にある。さらに奥へ進むと、イツセなど4兄弟が祀られ、トヨタマヒメが残したといわれるお乳岩も。
神武天皇	橿原神宮（奈良県）	日本のはじまりの場所。日向から船を出し様々な困難を乗り越え、最終的に「畝山の東南の麓が日本の中心である」として、橿原宮を創建した。
ヤマトタケル	熱田神宮（愛知県）	ヤマトタケルが妻のミヤズヒメの下に置いた草薙剣が祀られている。日本全国を回ったため、日本中に伝承地が残る。例えば千葉の木更津はヤマトタケルが亡くした妻を想い去らなかった「君去らず」から。

――おわりに――

ここまで日本神話の魅力を一緒に探ってきました。思わず夢中になってしまう物語や、個性豊かなキャラクターに溢れ、楽しんでいただけたのではないでしょうか。私も楽しく執筆させていただき、日本神話への愛がより深まりました。このコンパクトな一冊の中に幅広い情報をギュッと濃縮してお届けすることができて嬉しいです。通しで『古事記』に触れたい方は、「ラノベ古事記」のサイトからお楽しみください。『古事記』、笑えます。

また、本書で初めて日本神話に触れた方は、今も私たちの日常生活に深く根差している日本神話を、なぜ今まで知らなかったのか、不思議に思うかもしれません。実は、歴史を振り返ると政治的な目的で日本神話が利用されていた時期がありました。それが影響して、多くの人が神話の学習に触れられなくなったといわれています。

しかし今、読者の皆さんと一緒に神話を見つめなおしてきたことで、神々がどれだけ人間くさく愛おしい存在かを感じていただけたのではないかと思います。彼らはキャパオーバーになれば引き籠ってしまうし、恋をしたら仕事より恋愛を優先しますし、とても自由な存在で、まるで私たち人間の姿を映し出しているようです。日本の神様は、みんなみんな、めちゃくちゃ可愛いんだ！　と、全人類に知ってほしいです。

近年、グローバル化が進む中で、私たちは自国のアイデンティティを見失いがちでした。

しかしグローバル社会において、神話やルーツを知ることは非常に重要です。外国人の知り合いがいらっしゃれば、彼らが自分の国について誇らしく語る姿や、聖書ネタでジョークを交わす姿を見たことがあるでしょう。そして「日本は？」「宗教は？」と聞かれ、何も答えられなかった経験を持つ方もいらっしゃるかもしれません。グローバル環境で会話をするためには、語学力だけでなく、自国の知識も必要なのです。しかし、本書で日本神話をマスターしたあなたなら、もう大丈夫！　外国人や友人、家族に向けて、どんどん日本の可愛らしい神様を発信してください。

私は、日本神話が多くの人に広まることが、日本の未来を明るく照らすエネルギーになると信じています。日本の可愛らしい神々が、多くの人々に愛されるために、本書が一助になりますように、心から願っております。

そして最後に、実業之日本社の王様、編集のえいとえふ様、デザイナー様、イラストレーターの三村晴子様、この本を作り上げる過程で支えてくださった多くの方々に心から感謝申し上げます。もちろん、読者の皆様にも心からの感謝を！　本書が少しでもお役に立てれば幸いです。ありがとうございました。

小野寺優

【ラノベ古事記】https://kojiki.co　【X（旧：Twitter）】@Are_Hieda

◉参考文献

『古事記』 倉野憲司校注 岩波文庫
『新版 古事記 現代語訳付き』 中村啓信 角川ソフィア文庫
『日本書紀』 坂本太郎・井上光貞・家永三郎・大野晋 岩波文庫
『日本書紀 全現代語訳』 宇治谷孟 講談社学術文庫
『神社検定公式テキスト1 神社のいろは』 神社本庁（監修） 扶桑社
『「日本の神様」がよくわかる本 八百万神の起源・性格からご利益までを完全ガイド』 戸部民夫 PHP研究所
『東京周辺 神社仏閣どうぶつ案内 神使・眷属・ゆかりのいきものを巡る』 川野明正 メイツ出版
『図解 世界5大神話入門』 中村圭志 ディスカヴァー・トゥエンティワン
『続日本紀 全現代語訳』 宇治谷孟 講談社学術文庫
『現代語訳 日本書紀』 福永武彦 河出文庫
『ビジュアルワイド 図解 古事記・日本書紀』 加唐亜紀 西東社
『地図で読む「古事記」「日本書紀」』 武光誠 PHP文庫
『地図と写真から見える！古事記・日本書紀』 山本明 西東社
『カラー版 イチから知りたい！神道の本』 三橋健 西東社
『完全踏査 古代の道』 武部健一 吉川弘文館
『古事記及び日本書紀の研究 完全版』 津田左右吉 毎日ワンズ
『古事記』 池澤夏樹 河出書房新社
『古事記完全講義』 竹田恒泰 学研プラス
『古事記不思議な1300年史』 斎藤英喜 新人物往来社
『日本神話の「謎」を歩く』 藤井勝彦 天夢人
『日本古代史の謎』 瀧音能之 宝島社
『神社の解剖図鑑』 米澤貴紀 エクスナレッジ

『古事記の謎をひもとく』 谷口雅博 弘文堂
『埴輪を知ると古代日本人が見えてくる』 塚田良道 洋泉社
『ビジュアル版 古墳時代ガイドブック』 若狭徹 新泉社
『名前でよむ天皇の歴史』 遠山美都男 朝日新書
『古事記と天武天皇の謎』 大和岩雄 ロッコウブックス
『日本の神様 解剖図鑑』 平藤喜久子 エクスナレッジ
『淮南子の思想』 金谷治 講談社学術文庫
『倭人・倭国伝全釈 東アジアのなかの古代日本』 鳥越憲三郎 角川ソフィア文庫
『0からわかる神道のすべて』 渋谷申博 三笠書房
『ここまでわかった！日本書紀と古代天皇の謎』「歴史読本」編集部 新人物文庫
『古代日本の官僚－天皇に仕えた怠惰な面々』 虎尾達哉 中公新書
『現代語訳 藤氏家伝』 沖森卓也・佐藤信・矢嶋泉（翻訳） ちくま学芸文庫
『神々の坐す里 高千穂の神社』 佐藤純子 高千穂観光協会
『懐風藻』 江口孝夫 講談社学術文庫
『ラノベ古事記 日本の神様とはじまりの物語』 小野寺優 KADOKAWA
『ラノベ古事記 日本の建国と初国シラス物語』 小野寺優 KADOKAWA
『ラノベ古事記 日本の英雄と天翔ける物語』 小野寺優 KADOKAWA
『マンガ古事記 イザナキとイザナミ 日本を産んだ神様夫婦はラブラブだったのですが。』 駒碧（著）・小野寺優（企画・原案） KADOKAWA

◎参考サイト
國學院大學 古事記学センター
https://www.kokugakuin.ac.jp/research/oard/kojiki-c

写真提供
P13 提供：三重フォトギャラリー（https://photo.mie-eetoko.com/）
P15 （公社）びわこビジターズビューロー
P23 島根県観光写真ギャラリー 出雲大社 御本殿・拝殿
P47,77 島根県観光写真ギャラリー 黄泉比良坂
P53 公益社団法人京都府観光連盟
P73 提供：白兎神社
P77 鰐淵コミュニティセンター
P135 2点 公益財団法人宮崎県観光協会，宮崎県商工観光労働部観光経済交流局 観光推進課
P151 提供：越中護国八幡宮
P163,183,202下,203上,204上,207上 photoAC
P180 （公社）ひょうご観光本部フォトライブラリー
P202上,203下,204中下,207下,217 photolibrary
P207上 所蔵者：伏見稲荷大社

著　者

小野寺 優（おのでらゆう）

古事記の魅力をポップカルチャーを通じて広く発信。魅せるキャラクターづくり、ライトノベル化など、その取り組みは2024年で10年目を迎える。活動の中心は、月間50万PVを誇る人気ウェブサイトの運営と、ラノベ古事記シリーズ。デビュー作『ラノベ古事記 日本の神様とはじまりの物語』（KADOKAWA）が「わかりやすくて面白い」と注目され、続編が次々と発売、コミカライズも果たした。

Web　https://kojiki.co/

X（旧：Twitter）　@Are_Hieda

※本書は書き下ろしオリジナルです。

じっぴコンパクト新書　407

いちばんわかりやすい日本神話

2023年11月14日　初版第1刷発行

著　者……………………小野寺優
発行者……………………岩野裕一
発行所……………………株式会社実業之日本社
〒107-0062 東京都港区南青山6-6-22 emergence 2
電話（編集）03-6809-0473
（販売）03-6809-0495
https://www.j-n.co.jp/
印刷・製本………………大日本印刷株式会社

ISBN978-4-408-65061-6（第二書籍）